Ça marche! 2

Mon carnet

Gina Boncore Crone

Susan Howell

Léo-James Lévesque

David O'Brien

Louisel Pelletier-Robichaud

Stephanie Rincker

Michael Salvatori

www.pearsoned.ca/camarche

W9-BON-093

Ça marche! 2 Mon carnet

Conseillers de la série : Helen Coltrinari, Anne Curry, John Erskine

Directrice du département de français langue seconde : Susan Howell
Directrices de la rédaction : Anita Reynolds MacArthur, Caroline Kloss
Révision pédagogique : Nancy Fornasiero
Rédacteurs : Gina Boncore Crone, Kathleen Bush, Elaine Gareau, Andria Long, John Niedre, Carol Wells
Directrice du marketing : Diane Masschaele
Production / Rédaction : Nadia Chapin, Louise Cliche, Marie Cliche, Tanjah Karvonen, Monica Plant, Adele Reynolds, Lisa Santilli
Assistante : Jennifer Iveson
Révision linguistique : Daniel Soha
Coordonnatrice : Sandra Magill
Conception graphique : David Cheung Design Inc., Zena Denchik
Mise en page : Computer Composition of Canada Inc.
Image de couverture : Getty Images/Allsport Concepts/Mike Powell
Illustrations : Kevin Cheng, Tina Holdcroft
Conception vidéo : Doug Karr – Human Scale Productions; Jeremy Major, The Shooting Eye; Marie-Bernadette Villemaire et Mark Karbusicky
Production audio : France Gauthier – Les productions Hara
Conception du site web : Thi Thi Lu

Nous tenons à remercier tout particulièrement les enseignants, enseignantes, conseillers et conseillères pédagogiques ainsi que les réviseur(e)s pour leur contribution à ce projet.

Copyright © 2006 Pearson Education Canada, a division of Pearson Canada Inc., Toronto, Canada

Tous droits réservés.
Cet ouvrage est protégé par les droits d'auteur. Il faut avoir obtenu au préalable l'autorisation écrite de l'éditeur pour reproduire, enregistrer ou diffuser une partie du présent ouvrage sous quelque forme ou quelque procédé que ce soit, électronique, mécanique, photographique, sonore, magnétique ou autre. Pour obtenir les informations relatives à cette autorisation, veuillez communiquer par écrit avec le département des autorisations.

ISBN 0-321-18980-9

Imprimé au Canada

3 4 5 6 WC 11 10 09

Les éditeurs ont tenté de retrouver les propriétaires des droits de tout le matériel dont ils se sont servis. Ils accepteront avec plaisir toute information qui leur permettra de corriger les erreurs de référence ou d'attribution.

Ça marche! 2

Mon carnet

Table des matières

Unité 1 : L'école de l'avenir — Feuille de route

L'identification de la nécessité :

Phase 2

1. Identifie la frustration que ton invention va éliminer dans la salle de classe.

Mon invention va éliminer la frustration du pupitre désorganisé.

Ma invention va éliminer la frustration de les devoirs difficiles.

Le développement d'une solution :

Phase 3

2. Quel est ton marché-cible? Identifie la personne ou les personnes que ton invention va aider.

- [x] les élèves
- [ ] les enseignant(e)s
- [ ] autre : ______

Phase 3

3. Comment est-ce que ton invention va aider cette personne ou ces personnes? Coche toutes les fonctions ou caractéristiques qui peuvent éliminer la frustration identifiée dans le numéro 1.

- [ ] enregistrer la voix / les images / les pensées
- [ ] être invisible
- [ ] être minuscule
- [ ] être porté(e) par l'élève
- [ ] faire de la téléportation
- [ ] faire du recyclage
- [ ] flotter
- [ ] agir comme assistant personnel
- [ ] magnifier des images
- [x] mémoriser les notes
- [ ] nettoyer la salle
- [ ] séparer les déchets
- [ ] prendre la forme de l'élève
- [ ] projeter des images en air
- [ ] régler la température pour chaque élève
- [ ] répondre aux questions
- [ ] signaler l'attention de l'enseignant(e)
- [ ] télécharger une célébrité / un expert
- [ ] traduire l'écriture illisible
- [ ] transformer la salle en environnement virtuel
- [ ] voyager dans le temps
- [ ] autre : aide avec devoirs

 Copyright © 2006 Pearson Education Canada Inc.

Article noun adjective

Phase 3

4. Choisis un nom pour ton invention.

Mon invention est le Pupitre puissant.

Ma invention est L'aide aux devoirs brillante.
(The brilliant homework helper)

Phase 4

5. Écris des phrases pour identifier ton marché-cible et exprimer ta solution.

Mon invention va aider les élèves et les enseignant(e)s de l'avenir.

Mon invention va organiser les notes, les livres et les cahiers.

Ma invention va aider les élèves

Ma invention va organizer les notes.

Le développement technique :

Phase 5

6. Prépare le brouillon de ton prototype selon les consignes ci-dessous.

a) Comment est-ce que tu vas faire ton prototype? Coche ton choix.

Je vais faire mon prototype…

- [ ] en trois dimensions (3. Dimention)
- [x] sur une affiche (poster)
- [ ] ~~à l'ordinateur~~

Plan, draw your prototype

b) Fais un plan de ton invention sur une feuille de papier.

Identify the parts

c) Identifie les parties de ton invention.

Phase 6

7. Comment est-ce qu'on va utiliser ton invention? Écris les consignes d'utilisation.

Mettez les papiers, les livres et les cahiers dans l'ouverture. Appuyez sur le bouton.

Phase 7

8. a) Montre ton prototype à un ou une partenaire. Explique comment utiliser ton invention. Ton ou ta partenaire va faire une évaluation technique et faire des suggestions.

* = **médiocre**	*** = **impressionnant(e)**	? = **inconnu(e)**
** = **acceptable**	**** = **très impressionnant(e)**	

Catégorie :	****	Suggestions :
l'apparence	****	
le fonctionnement	****	
la nécessité	****	
l'originalité	***	
autre :		
autre :		

b) Fais les changements nécessaires à ton prototype et prépare la version finale.

Le test de marché

Phase 8

9. Sur une feuille de papier ou une fiche, prépare un aide-mémoire pour ta démonstration. Utilise les phrases que tu as écrites sur ta Feuille de route.

10. Avec un ou une partenaire, répète la démonstration de ton invention. Utilise cette liste pour vérifier ta démonstration.

Selon mon ou ma partenaire…

- ☐ **a)** J'utilise de nouveaux mots et de nouvelles expressions.
- ☐ **b)** Je fais attention à la prononciation.
- ☐ **c)** J'exprime mes idées avec des phrases simples.
- ☐ **d)** Je parle assez fort et clairement.
- ☐ **e)** Je varie l'intonation et le ton de ma voix.
- ☐ **f)** J'utilise des gestes.
- ☐ **g)** J'utilise mon prototype comme aide visuelle.
- ☐ **h)** Je regarde l'auditoire.

Mon ou ma partenaire a fait les suggestions suivantes à propos de ma démonstration :

___

 Copyright © 2006 Pearson Education Canada Inc.

La *Super invention*

A. Écoute le poème La *Super invention.* Quelles activités est-ce que la *Super invention* peut faire? Coche la bande dessinée qui correspond au poème.

1. ❑

2. ❑

3. ❑

B. **Choisis deux activités que tu fais souvent en classe. Pour chaque activité, fais une illustration d'une invention qui va t'aider à mieux faire l'activité à l'avenir.**

Cette invention va m'aider à __________________________

(activité)

Cette invention va m'aider à __________________________

(activité)

C. **Dans la Partie B, couvre les activités de tes inventions d'une feuille de papier. Montre les illustrations à un ou une partenaire. Est-ce qu'il ou elle peut deviner les activités associées à tes inventions? Changez de rôle.**

Modèle :

Élève 1 : *Est-ce que cette invention va t'aider à écrire?*

Élève 2 : *Oui, tu as raison!*

ou

Non, tu as tort. Devine encore.

 Copyright © 2006 Pearson Education Canada Inc.

Questionnaire : Les frustrations à l'école

Quelles frustrations est-ce que tu rencontres dans la salle de classe? Coche les cinq situations qui t'irritent le plus. Pour le numéro 10, tu peux ajouter une frustration de ton choix.

Pour moi, une frustration dans la salle de classe, c'est...

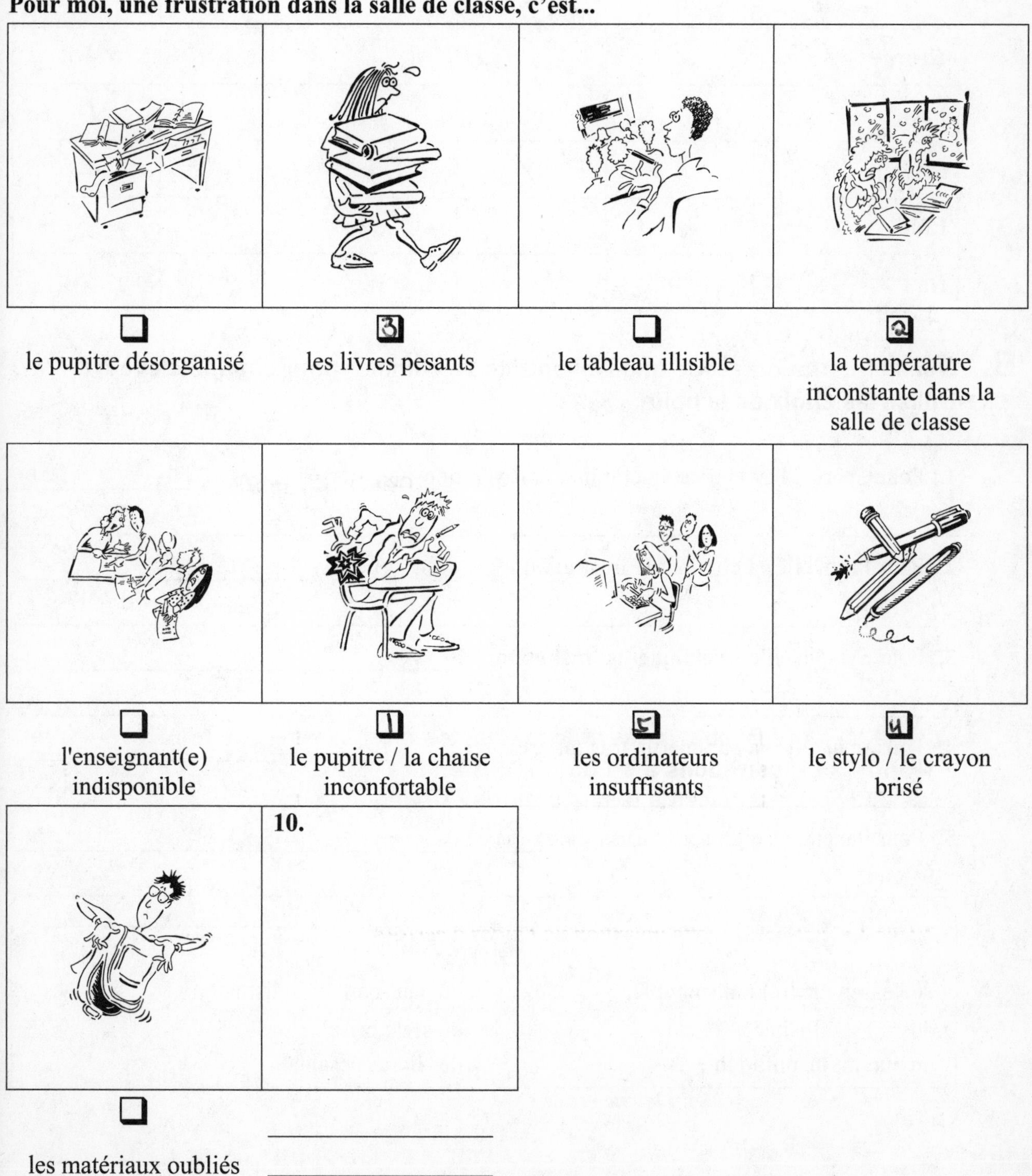

À l'écoute des jeunes

A. **À l'école Bonavenir, une inventrice parle aux élèves pour s'informer de leurs frustrations en classe. Quelle image aux pages 12 et 13 du livre représente chaque élève? Coche la bonne case.**

	A	B	C	D	E
George	✓				
Paco					✓
Sylvain		✓			
Lulu			✓		
Ita				✓	

B. **Quelle frustration est-ce que l'inventrice va éliminer pour chaque élève? Utilise les choix de la boîte.**

1. Pour George, l'inventrice va éliminer la frustration des livres pesants

2. Pour Paco, elle va éliminer la frustration du pupitre /de chaise inconfortable

3. Pour Sylvain, elle va éliminer la frustration du stylo

4. Pour Lulu, elle va éliminer la frustration

5. Pour Ita, elle va éliminer la frustration du haut-parleur indistint

CHOIX

de l'enseignant(e) indisponible	du haut-parleur indistinct
du tableau illisible	du stylo brisé
du pupitre inconfortable	des livres pesants

 Copyright © 2006 Pearson Education Canada Inc.

Les demandes de brevet

Info-culture
Un brevet d'invention est un document qui protège les idées des inventeurs.

A. Les inventeurs et inventrices doivent obtenir un brevet, un document légal qui protège leurs idées. Lis les notes des inventeurs et des inventrices aux pages 14 et 15 du livre. Puis, complète les demandes de brevets.

1. **Le nom de l'invention :** *L'Ordi savant*
   Le marché-cible : L'ordi savant va aider les élèves
   L'importance : L'ordi savant va éliminer le papier dans la salle de classe.
   La / Les fonction(s) : L'ordi savant va inclure un stylo qui va mémoriser toutes les notes, contenir tous textes et carnets, envoyer nos devoirs à l'enseignant.

2. **Le nom de l'invention :** *Le Pupitre plaisant*
   Le marché-cible : *Le Pupitre plaisant va aider les élèves.*
   L'importance : *Le Pupitre plaisant va éliminer la frustration des* pupitre inconfortable des petits pupitres, de la lumière insuffisante.
   La / Les fonction(s) : *Le Pupitre plaisant va* la chaise du pupitre va s'ajuster à la forme de l'élève.

3. **Le nom de l'invention :** *Le Sac à dos super*
   Le marché-cible : Le sac à dos super va aider les élèves
   L'importance : Le sac à dos super va eliminer la frustrations des livres peasant, des sac à dos peasant, de transporte le livres peasant
   La / Les fonction(s) : Le sac à dos super va flotter dans les airs.

Copyright © 2006 Pearson Education Canada Inc.

B. Imagine que ton ou ta partenaire et toi travaillez au Bureau des brevets. À quelles inventions de la Partie A est-ce que vous allez donner des brevets? Utilisez les critères et le modèle pour discuter de votre décision.

Critères :

Pour obtenir un brevet, une invention doit…
- éliminer une frustration commune;
- avoir une fonction unique.

Modèle :

Élève 1 : Je vais donner un brevet au ______________________________.

Élève 2 : Pourquoi?

Élève 1 : Parce que cette invention va éliminer une frustration commune / va avoir une fonction unique.

Élève 1 : Je suis d'accord. /
Je ne suis pas d'accord. À mon avis, cette invention ne va pas…

OU

Élève 1 : Je ne vais pas donner un brevet au ______________________________.

Élève 2 : Pourquoi pas?

Élève 1 : Parce que cette invention ne va pas éliminer une frustration commune / ne va pas avoir une fonction unique.

Élève 1 : Je suis d'accord. /

Je ne suis pas d'accord. À mon avis, cette invention va ____________________
____.

 Copyright © 2006 Pearson Education Canada Inc.

Eurêka!

A. En groupes, jouez le rôle d'inventeurs et d'inventrices. Complétez les informations pour l'invention scolaire de chaque illustration.

Le nom de l'invention : L'apparel unique

Le marché-cible : *L'invention va aider* les élèves.

L'importance : *L'invention va éliminer la frustration*

du / de la / de l' / des ~~du~~ de l'enseignant indisponible.

La / Les fonction(s) : *L'invention va* signaler l'attention de l'enseignant.

Le nom de l'invention : La machine extrodinaire

Le marché-cible : *L'invention va aider* les élève.

L'importance : *L'invention va éliminer la frustration*

du / de la / de l' / des des ~~[illegible]~~ déchets excessifs.

La / Les fonction(s) : *L'invention va* faire du recyclage

.

Le nom de l'invention : Le ordi intelligent

Le marché-cible : *L'invention va aider* les élèves (tous élèves) ✓.

L'importance : *L'invention va éliminer la frustration*

du / de la / de l' / des des devoirs dafficile.

La / Les fonction(s) : *L'invention va* reponadre aux questions.

B. En groupes, présentez vos idées d'inventions à la classe.

Au futur... Gurpreet Bains

A. Tes prédictions, s'il te plaît! Complète les phrases à l'affirmatif ou au négatif, selon ton opinion.

Exemple : Un écran ___*va*___ remplacer le tableau noir.

OU Un écran ___*ne va pas*___ remplacer le tableau noir.

✓ **1.** Un carnet électronique ___va___ éliminer les carnets en papier.
x **2.** Je ___ne vaispas___ étudier les robots dans le cours de sciences.
✓ **3.** On ___ne va pas___ avoir des salles de classe virtuelles.
X **4.** Les scientifiques ___ne ~~va~~ vont pas___ inventer un autobus confortable.
x **5.** Une nouvelle invention ___va___ remplacer le stylo.
x **6.** Nous ___ne ~~va~~ allez pas___ faire des excursions sur d'autres planètes.
✓ **7.** La télévision ___va___ projeter des images dans l'air.

B. Lis tes prédictions à ton ou ta partenaire, puis écoute ses prédictions. Coche les réponses où vous êtes d'accord.

C. Complète les descriptions d'inventions à l'affirmatif avec la forme correcte du verbe *aller* et un infinitif de la boîte.

CHOIX						
avoir	corriger	compléter	éliminer	être	exister	voyager

1. Les enseignant(e)s de l'avenir ___~~[illegible]~~ vont___ ___corriger___ nos tests à l'ordinateur
2. Avec mon invention écologique, je ___~~être~~ vais___ ___éliminer___ la pollution
3. Chaque élève ___~~ja~~ va___ ___~~compléter~~ avoir___ un robot assistant
4. Vous ___allez___ ___~~voyager~~ être___ capable de voyager dans le temps
5. Tu ___va___ ___compléter___ tes devoirs dans un cahier électronique
6. Un nouveau stylo ___~~faire~~ va___ ___éliminer___ la frustration de l'écriture illisible
7. Nous ___~~va~~ allons___ ___voyager___ dans les machines de téléportation
8. Toutes ces inventions ___~~va~~ vont___ ___exister___ dans 10 ans

D. Relis la phrase numéro 8 de la Partie C. Est-ce que tu es d'accord? À l'oral, explique ta réponse à un ou une partenaire. Utilise les choix de la boîte.

CHOIX

On va / ne va pas avoir la technologie nécessaire.
L'invention de la phrase numéro ____ est utile / unique / pratique.
L'invention de la phrase numéro ____ n'est pas utile / unique / pratique.
L'invention de la phrase numéro ____ existe déjà.

 Copyright © 2006 Pearson Education Canada Inc.

Un défi d'invention!

A. Choisis un de ces noms pour une invention scolaire.

❑ le Stylo sensationnel! ❑ l'Ordinateur opérant! ❑ la Chaise chic!
❑ le Projecteur impressionnant! ❑ autre : ______________________

B. Coche trois fonctions idéales de cette invention de l'avenir.

❑ projeter des images en air ❑ s'ajuster ❑ écrire automatiquement
❑ corriger les devoirs ❑ mémoriser les notes ❑ créer la téléportation
❑ télécharger des célébrités ❑ flotter dans les airs ❑ magnifier des images
❑ autre : ______________________ ❑ autre : ______________________

C. Quelles sont les caractéristiques de ton invention? Dans quelle partie de la salle de classe est-ce qu'on va trouver cette invention? Fais une illustration rapide de l'invention dans la boîte à gauche.

Mon invention **L'invention de mon / ma partenaire**

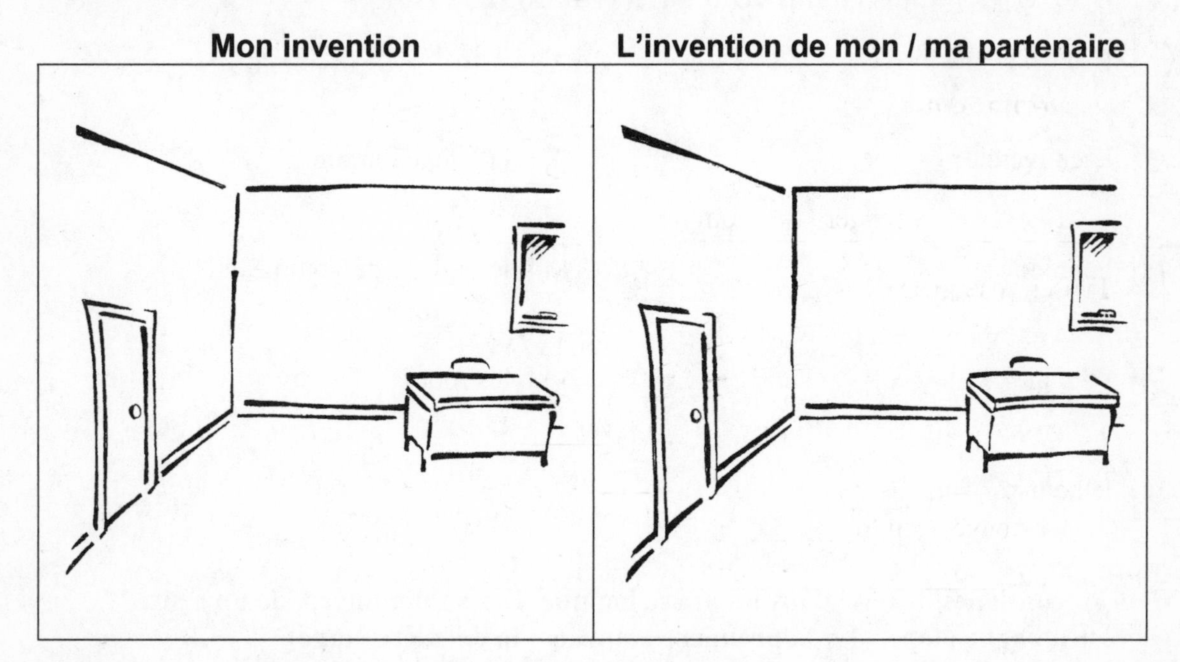

D. Cache ton illustration et décris ton invention à un ou une partenaire. Il ou elle va essayer de reproduire ton illustration dans son carnet. Puis, changez de rôle. Utilisez les expressions ci-dessous avec la forme correcte du verbe *aller*.

1. Le nom de mon invention ____ être…
2. Nous _____ utiliser mon invention pour… (écrire / voyager / s'asseoir / communiquer).
3. On _____ trouver l'invention sur / dans… (le plancher / un pupitre / le mur / le plafond / le bureau de l'enseignant(e) / dans les airs).
4. Mon invention _____ (corriger les devoirs / s'ajuster à la forme de l'élève).

Copyright © 2006 Pearson Education Canada Inc.

Le guide d'utilisation

Lis les consignes du guide d'utilisation aux pages 18 et 19 du livre. Puis, complète ces deux autres sections du guide. N'oublie pas de chercher les nouveaux mots dans ton lexique.

1. Identifie les parties du *Robobiblio*. Écris la lettre de la partie dans l'illustration à la page 19 du livre qui correspond à chaque mot.

☐ le bouton	☐ la fente
☐ le cadran	☐ l'icône
☐ le clavier	☐ le trou du mécanisme
☐ le compartiment	☐ le levier
☐ le couvercle	☐ la lampe témoin
☐ la poignée	☐ le réglage de volume
☐ l'écran	☐ les roues
☐ le haut-parleur	

2. Mets les consignes de base dans un ordre logique. Écris un numéro, de un à six, à côté de chaque étape. (1 = la première étape, 6 = la dernière étape)

Six étapes simples!

☐ Tournez le cadran.	☐ Tapez une question.
☐ Appuyez sur le bouton.	☐ Regardez l'écran.
☐ Mettez une fiche dans le trou.	☐ Glissez le réglage de volume.

 Copyright © 2006 Pearson Education Canada Inc.

Assistance techno-scolaire

A. Regarde l'illustration de *l'Ordi savant* à la page 14 du livre. À ton avis, quelles fonctions est-ce que cet appareil va avoir? Dans la colonne *Avant l'écoute,* coche tes prédictions des fonctions. N'oublie pas de chercher les nouveaux mots dans ton lexique.

	Avant l'écoute	Après l'écoute
1. Inclure un stylo électronique.	☐	☑
2. Contenir des jeux vidéo.	☐	☐
3. Transmettre vos notes à l'écran de l'ordinateur.	☐	☑
4. Utiliser beaucoup de papier.	☐	☐
5. Contenir tous vos textes scolaires et vos carnets.	☐	☑
6. Envoyer vos devoirs à l'enseignant(e).	☐	☑
7. Corriger vos devoirs.	☐	☐
8. Faire vos devoirs pour vous.	☐	☐
9. Imprimer vos notes et vos devoirs (au besoin).	☐	☑

B. Raymond a perdu le guide d'utilisation de son *Ordi savant*. Il appelle le service d'assistance technique. Écoute la conversation et vérifie tes réponses dans la colonne *Après l'écoute* de la Partie A.

Donne des consignes!

A. Lis les situations suivantes. Donne des consignes selon le cas. Choisis la bonne forme de *l'impératif*.

1. Tu donnes une consigne à Julie et Topher. Ils veulent allumer l'ordinateur.
   Appuyez ✓ sur le bouton noir.
   (Appuie / Appuyons / Appuyez)

2. Tu donnes une consigne à Éric. Il veut insérer un disque compact dans la stéréo.
   Ouvre ✓ le couvercle.
   (Ouvre / Ouvrons / Ouvrez)

3. Tu donnes un avertissement à Kerry et Yann. Ils nettoient le rétroprojecteur.
   Ne plongez ✓ pas l'appareil dans l'eau!
   (plonge / plongeons / plongez)

4. Tu fais une suggestion à ton enseignant(e). Il ou elle ajuste le thermostat.
   choisis ✓ la température maximale, s'il vous plaît! J'ai froid!
   (Choisis / Choisissons / Choisissez)

5. Tu donnes un ordre à ton frère. Le téléphone sonne. Tu es dans la salle de bain.
   Réponds ✓ au téléphone, s'il te plaît!
   (Réponds / Répondons / Répondez)

 Copyright © 2006 Pearson Education Canada Inc.

B. **Quelle consigne (positive ou négative) est-ce qu'on donne dans chaque image? Dans chaque bulle, écris une consigne à *l'impératif*. Utilise les choix de la boîte. Attention : quelques images ont deux consignes!**

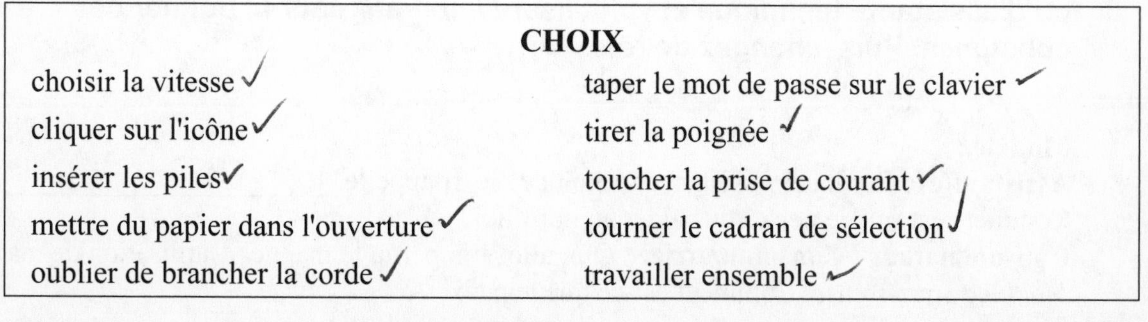

CHOIX

choisir la vitesse ✓	taper le mot de passe sur le clavier ✓
cliquer sur l'icône ✓	tirer la poignée ✓
insérer les piles ✓	toucher la prise de courant ✓
mettre du papier dans l'ouverture ✓	tourner le cadran de sélection ✓
oublier de brancher la corde ✓	travailler ensemble ✓

La machine mystérieuse

A. Imagine que tu as perdu le manuel d'utilisation pour cette nouvelle invention. Coche trois questions que tu peux poser pour apprendre comment utiliser la machine.

Comment est-ce que je peux…

- ❑ allumer la machine?
- ❑ augmenter le volume?
- ❑ corriger les devoirs?
- ❑ diminuer le volume?
- ❑ éteindre la machine?
- ❑ imprimer des informations?
- ❑ poser des questions?
- ❑ projeter des images?
- ❑ télécharger des informations?
- ❑ téléporter?
- ❑ visualiser des informations?
- ❑ ____________________________?

B. Imagine que tu téléphones au service d'assistance technique. Pose tes questions à ton ou ta partenaire. Il ou elle va jouer le rôle d'assistant ou d'assistante technique et va utiliser *l'impératif* pour te donner des consignes. Puis, changez de rôle.

Modèle :
Assistant(e) : Bonjour! Assistance technique! Je m'appelle ____________________.
Comment est-que je peux vous aider aujourd'hui?
Consommateur / Consommatrice : Oui, allô. J'ai perdu le manuel d'utilisation de ma *Machine mystérieuse*. Comment est-ce que je peux…?

 Copyright © 2006 Pearson Education Canada Inc.

Inventions idéales

A. **Regarde l'entrevue avec le dessinateur industriel. Quelles images représentent les caractéristiques d'une bonne invention, selon le dessinateur industriel? Coche l'invention idéale dans chaque catégorie.**

Catégorie	Invention idéale	
la sécurité : une invention doit être securitaire.	☑	☐
l'effet sur l'environnement : ecologique Une [illegible]	☐	☑
le fonctionnement : une invention doit etre facile à utiliser.	☑	☐
l'apparence : une invention doit etre attrayante	☐	☑

la nécessité : une invention doit etre utile	☐	☑
l'originalité : une invention doit etre unique.	☐	☑

B. **Dans chaque catégorie de la Partie A, écris une phrase descriptive qui représente le conseil du dessinateur industriel. Utilise les choix de la boîte.**

CHOIX			
Une invention doit être…			
attrayante	facile à utiliser	rapide	unique
écologique	grande	sécuritaire	utile

C. **En groupes, faites une évaluation des inventions que vous avez vues dans le livre et dans le carnet. Utilisez les phrases descriptives de la Partie B comme critères. Utilisez aussi le système d'étoiles ci-dessous.**

L'apparence, le fonctionnement, etc. de l'invention est…
(catégorie)

*** = médiocre**	***** = impressionnant(e)**	**? = inconnu(e)**
**** = acceptable**	****** = très impressionnant(e)**	

 Copyright © 2006 Pearson Education Canada Inc.

Des succès de l'avenir?

A. Selon ton évaluation de la page 24 du carnet, Partie C, quelles inventions vont valoir le plus d'argent à l'avenir? Suggère un prix pour chaque invention.

À mon avis… it is worth

1) L'*Ordi savant* va valoir 1000 $.

2) Le *Pupitre plaisant* va valoir 70 $.

3) Le *Sac à dos super* va valoir 20 $.

4) Le *Robobiblio* va valoir 50 $.

5) ______________________ va valoir ______ $.

6) ______________________ va valoir ______ $.

B. Écris un retour d'information sur une feuille de papier sur l'invention qui, à ton avis, va avoir le plus grand succès à l'avenir. Utilise le modèle. Remplace tous les mots soulignés.

À mon avis *la Super invention* (nom de l'invention) *va avoir le plus grand succès à l'avenir.*

Les élèves et les enseignant(e)s (marché-cible : consommateur(s) / consommatrice(s)) *va / vais / vont acheter cette invention parce qu'elle va avoir ces caractéristiques importantes :*

- *L'invention va* *être utile.* (caractéristique) *Elle va éliminer la frustration du partenaire absent.* (détail(s) spécifique(s))
- *L'invention va* *avoir une fonction unique.* (caractéristique) *Elle va répondre aux questions.* (détail(s) spécifique(s))
- *L'invention va* *être facile à utiliser.* (caractéristique) *Pour utiliser l'invention, on va tirer le levier.* (détail(s) spécifique(s))

Pour ces raisons, je pense que cette invention va valoir 700,00 $.

Copyright © 2006 Pearson Education Canada Inc.

Après le projet final : Mon auto-évaluation

A. Pense à ta démonstration. Complète les phrases avec les choix de la boîte.

1. Je fais des progrès. Pendant ma démonstration, j'ai réussi à…

____

____

2. Pour faire plus de progrès la prochaine fois, je vais essayer de / d'…

____

____

CHOIX

- utiliser de nouveaux mots et de nouvelles expressions.
- parler assez fort et clairement.
- varier l'intonation et le ton de ma voix.
- utiliser des gestes.
- parler en français seulement.
- utiliser mon illustration / modèle comme aide visuelle.
- bien prononcer.
- regarder l'auditoire.
- corriger mes erreurs.

B. Pense à ton retour d'information. Complète les phrases avec les choix de la boîte.

1. Je fais des progrès. Pendant le processus d'écrire, j'ai réussi à…

____

____

2. Pour faire plus de progrès la prochaine fois, je vais essayer de / d'…

____

____

CHOIX

- utiliser le dictionnaire et d'autres ressources.
- faire un brouillon.
- demander à un ou une partenaire de vérifier mon texte.
- utiliser de nouveaux mots et de nouvelles expressions.
- vérifier mon texte.
- faire des corrections.
- écrire la version finale de mon texte.

 Copyright © 2006 Pearson Education Canada Inc.

À la fin de l'unité...

A. Maintenant, je peux...

	très bien ●	bien ◕	avec un peu de difficulté ◑	avec difficulté ◔
• parler des activités et des inventions scolaires.	❑	❑	❑	❑
• parler des événements de l'avenir.	❑	❑	❑	❑
• donner des consignes.	❑	❑	❑	❑
• faire des suggestions.	❑	❑	❑	❑
• exprimer mon opinion sur le mérite d'une invention.	❑	❑	❑	❑

B. Dans cette unité...

a) j'ai appris : ______________________________

____

b) j'ai beaucoup aimé : ______________________________

____

c) je n'ai pas aimé : ______________________________

____

C. Voici deux situations où je peux utiliser mes nouvelles connaissances et stratégies :

• ______________________________

• ______________________________

Copyright © 2006 Pearson Education Canada Inc.

Unité 2 : Aventures en plein air Feuille de route

A. Notre compagnie et nos excursions

Phase 2

1. Formez une compagnie qui offre des excursions d'aventures.

a) Les membres de notre groupe sont ______________________________ .

b) Notre compagnie s'appelle ______________________________ .

2. Nous offrons deux excursions différentes.

Excursion A	Excursion B
• En quelle saison? ______________	• En quelle saison? ______________
• C'est une excursion... ❑ sportive ❑ coopérative ❑ récréative	• C'est une excursion... ❑ sportive ❑ coopérative ❑ récréative
• Nous offrons une expérience... ❑ énergique ❑ reposante ❑ confortable ❑ rustique	• Nous offrons une expérience... ❑ énergique ❑ reposante ❑ confortable ❑ rustique
• L'excursion dure _____ jour(s).	• L'excursion dure _____ jour(s).

Phase 3

3. Notre destination

Le parc national : ______________________________

La province ou le territoire : ______________________________

Excursion A	Excursion B
Les endroits intéressants du parc : ______________________________ ______________________________ ______________________________ ______________________________	Les endroits intéressants du parc : ______________________________ ______________________________ ______________________________ ______________________________

 Copyright © 2006 Pearson Education Canada Inc.

Phase 4

4. Nous offrons les activités suivantes.

Excursion A	Excursion B
___________________________	___________________________
___________________________	___________________________
___________________________	___________________________
___________________________	___________________________

B. Notre présentation publicitaire

Phase 5

1. a) Choisissez la forme de votre présentation.

❑ une présentation sur affiches ❑ une présentation électronique

b) Planifiez votre affiche. Utilisez l'affiche aux pages 40 et 41 du livre comme modèle. N'oubliez pas les éléments suivants.

❑ le nom de votre compagnie
❑ les itinéraires
❑ la description des activités (avec toutes les informations utiles sur le parc national)
❑ la durée des excursions
❑ les repas
❑ l'hébergement
❑ les images

c) Choisissez des images que vous voulez inclure et indiquez où vous allez trouver ces images.

____

____

2. Préparez la première partie de votre présentation orale avec l'information à la page suivante.

Copyright © 2006 Pearson Education Canada Inc.

Phase 6

3. Relisez les descriptions de vos deux excursions. Écrivez deux phrases comparatives pour expliquer les différences.

a) ______________________________

b) ______________________________

Phase 7

4. Quelle sorte de guide voulez-vous pour vos excursions? Pensez aux qualités d'un(e) bon(ne) guide. Composez un témoignage.

____
____
______________________________.

Phase 8

5. Relisez les itinéraires de vos deux excursions. Écrivez trois consignes pour chaque excursion.

Excursion A	Excursion B
• ______________	• ______________
• ______________	• ______________
• ______________	• ______________

Phase 9

**6. Préparez les parties écrites de votre projet final.
Utilisez les listes suivantes.**

Dans notre trousse de promotion, il y a...

❑ une affiche publicitaire (voir le numéro 1 de la Partie B);

❑ (optionnel) un témoignage qui explique pourquoi nos guides sont remarquables;

❑ des consignes à l'impératif pour nos excursions.

Nos aides visuelles sont claires et faciles à comprendre.

❑ Nous montrons bien le nom de notre compagnie.

❑ Nous avons vérifié l'orthographe et la conjugaison de l'impératif.

❑ Nous avons ajouté des images attrayantes.

❑ (optionnel) Nous avons ajouté la carte du parc national.

 Copyright © 2006 Pearson Education Canada Inc.

Les activités en plein air

A. Écoute la conversation entre les deux amis et coche les activités qui sont mentionnées dans la conversation.

1. le ski de fond ☐
2. le canotage ☐
3. le kayak ☐
4. le camping ☐
5. la raquette ☐
6. le vélo de montagne ☐
7. le patinage ☐
8. la randonnée à pied ☐
9. la nage ☐
10. le radeau ☐

B. Maintenant, dans chaque case, écris le numéro de l'activité de la Partie A qui correspond à chaque symbole.

1.  ☐

2.  ☐

3.  ☐

4.  ☐

5.  ☐

6.  ☐

7.  ☐

8.  ☐

9.  ☐

10.  ☐

Tes activités préférées

A. Classe les activités suivantes par ordre de préférence (1 = ton premier choix).

1. Je préfère les activités en plein air...

a) au printemps. ☐ **c)** en automne. ☐

b) en été. ☐ **d)** en hiver. ☐

2. Je préfère dormir...

a) sous la tente. ☐ **c)** dans une auberge. ☐

b) dans une cabane. ☐

B. Quelles sont tes activités d'été préférées? Choisis deux activités des choix de la boîte.

1. ______________________ **2.** ______________________

CHOIX

le canotage, le kayak, la nage, la randonnée à cheval, la randonnée à pied, le vélo de montagne

C. Quelles sont tes activités d'hiver préférées? Choisis deux activités des choix de la boîte.

1. ______________________ **2.** ______________________

CHOIX

la randonnée à cheval, la randonnée à pied, la raquette, le ski de fond, le traîneau à chiens

D. Quelles sont les préférences de tes camarades de classe? Note les choix les plus populaires.

La saison	L'hébergement
• ______________	• ______________

Les activités d'été	Les activités d'hiver
• ______________	• ______________
• ______________	• ______________

 Copyright © 2006 Pearson Education Canada Inc.

Une aventure à mon goût

A. **Regarde les images et les itinéraires aux pages 34 et 35 du livre. Fais des prédictions pour chaque itinéraire et associe-le à une sorte d'excursion. Écris la lettre de l'itinéraire dans la case. Finalement, écoute les descriptions et vérifie tes prédictions.**

	Prédiction	Vérification		Prédiction	Vérification
1. une excursion récréative	☐	☐	**3.** une excursion coopérative	☐	☐
2. une excursion sportive	☐	☐			

B. **Écoute les descriptions de nouveau et complète les phrases suivantes avec les choix de la boîte.**

1. Les excursions de cette compagnie sont créées à partir des ____________________ de leurs clients.

2. La compagnie *Aventures Fundy* offre des excursions dans le parc national ____________.

3. Les gens très ________________________ aiment bien une excursion sportive.

4. On mange un gros ____________________ après les activités en plein air!

5. Les ___________ mènent l'excursion et vous informent sur la nature ou sur l'histoire de la région.

6. Les gens qui aiment observer la nature apportent souvent un ____________________.

7. Un bon choix pour les écoles, c'est une excursion ______________________________.

8. Dans les activités coopératives, les participants travaillent en ______________________.

CHOIX			
actifs	coopérative	Fundy	préférences
appareil photo	équipes	guides	repas

 Copyright © 2006 Pearson Education Canada Inc.

À chacun ses goûts

A. Écoute les jeunes parler de leurs excursions préférées. Qui aime quoi? Coche les bonnes cases.

	Il / elle aime...	Les activités	L'hébergement
1. Keith	❑ la nature ❑ l'esprit d'équipe ❑ l'aventure	❑ la randonnée à cheval ❑ le vélo de montagne ❑ les activités coopératives	❑ dormir sous la tente ❑ dormir dans une cabane ❑ dormir dans une auberge
2. Sonia	❑ la nature ❑ l'esprit d'équipe ❑ l'aventure	❑ la randonnée à cheval ❑ le vélo de montagne ❑ les activités coopératives	❑ dormir sous la tente ❑ dormir dans une cabane ❑ dormir dans une auberge
3. Masoud	❑ la nature ❑ l'esprit d'équipe ❑ l'aventure	❑ la randonnée à cheval ❑ le vélo de montagne ❑ les activités coopératives	❑ dormir sous la tente ❑ dormir dans une cabane ❑ dormir dans une auberge

B. Avec un ou une partenaire, créez un itinéraire pour un des jeunes de la Partie A. Suivez le modèle suivant pour compléter le paragraphe.

Modèle : Un itinéraire pour *Geoff*

Pour *Geoff*, nous suggérons une excursion *sportive* parce qu'*il aime l'action*.
L'excursion a lieu *en hiver* et elle dure *deux jours*.
Il peut dormir *dans une cabane*.
Geoff aime *faire des randonnées à raquettes*.
Pendant les *deux jours*, *il* peut *faire plusieurs randonnées*.
Il va avoir une expérience *excitante*.

Un itinéraire pour ____________________

Pour ____________________, nous suggérons une excursion ____________________________
parce qu' ________________________________. L'excursion a lieu ___________________ et
elle dure ________________________.
_____ peut dormir ____.
____________________ aime ____.
Pendant les ______________, ____ peut ____.
____ va avoir une expérience _______________________________.

 Copyright © 2006 Pearson Education Canada Inc.

Une beauté qui inspire

VOCABULAIRE

Identifie les éléments naturels suivants. Quelles activités est-ce qu'on peut y faire? Utilise les choix de la boîte.

1.

Activités : ____________________

____

____

____

2.

Activités : ____________________

____

____

____

3.

Activités : ____________________

____

____

____

4.

Activités : ____________________

____

____

____

5.

Activités : ____________________

____

____

____

6.

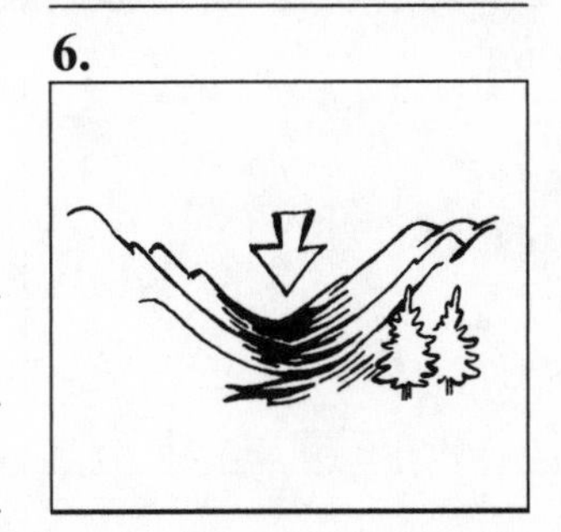

Activités : ____________________

____

____

____

CHOIX

Les éléments naturels	Les activités
• la colline • la forêt • le lac • les montagnes • la rivière • la vallée	• le camping • le canotage / le kayak • la nage • le pique-nique • le radeau • la randonnée à cheval • la randonnée à pied • la raquette • le ski de fond • le vélo de montagne

Copyright © 2006 Pearson Education Canada Inc.

Nos parcs nationaux

Remplis les cases pour résumer les caractéristiques de chaque parc. Réfère-toi aux pages 36 à 38 du livre. Pour la Partie B, coche les cases appropriées.

Parc	Kejimkujik	Yoho	la Mauricie	Kluane
A. La province ou le territoire				
B. Le terrain inclut...				
• des montagnes				
• des rivières				
• des lacs				
• des vallées				
• des champs de glace				
• des forêts				
C. De l'intérêt particulier (regarde les choix de la boîte et indique la lettre dans les cases appropriées)				

Choix pour la Partie C

a) Il y a un grand choix de sentiers de randonnées à explorer.
b) Le parc sert d'abri à une flore et une faune en péril.
c) Une grande partie du parc est seulement accessible en canot et à pied.
d) Il y a des pétroglyphes mi'kmaqs.
e) Il y a des fossiles.
f) On peut voir le mont Logan, le pic le plus élevé du Canada.
g) Il y a beaucoup d'activités d'interprétation.
h) On peut voir deux espèces rares : la tortue des bois et le faucon pèlerin.
i) On peut voir des grizzlis.

 Copyright © 2006 Pearson Education Canada Inc.

Les modes de déplacement

A. Complète les descriptions des modes de déplacement avec *en* ou *à*. Puis, coche les cases pour indiquer ton opinion.

1. Pour te déplacer en hiver

C'est...	agréable	facile	difficile	rapide	lent
a) ___ pied					
b) ___ cheval					
c) ___ raquettes					
d) ___ skis de fond					
e) ___ vélo de montagne					
f) ___ traîneau à chiens					

2. Pour te déplacer en été

C'est...	agréable	facile	difficile	rapide	lent
a) ___ pied					
b) ___ vélo de montagne					
c) ___ canot					
d) ___ kayak					
e) ___ radeau					
f) ___ cheval					

B. Relis les tableaux et indique tes préférences.

1. En hiver, je préfère voyager ________________________________

parce que ____.

2. En été, je préfère voyager ________________________________

parce que ____.

C. Note les préférences de ton ou ta partenaire.

Mon / ma partenaire : ____________________

1. En hiver, il / elle préfère voyager ____________________________

parce que ____.

2. En été, il / elle préfère voyager ____________________________

parce que ____.

Comment y aller?

A. **Choisis le meilleur mode de déplacement pour faire les activités suivantes. Utilise les choix de la boîte. N'oublie pas la préposition *en* ou *à*.**

1. Je veux observer les animaux dans la forêt.

Je vais faire une randonnée ________________________________.

2. Je veux traverser le parc dans la neige sans difficulté.

Je vais voyager ________________________________.

3. Je veux traverser le lac pour observer les castors.

Je vais traverser le lac ________________________________.

4. Je veux faire une randonnée dans la neige profonde.

Je vais faire une randonnée ________________________________.

5. Je veux traverser la forêt dans la neige aussi vite que possible.

Je vais traverser la forêt ________________________________.

6. Je veux faire une promenade agréable mais j'ai de la difficulté à marcher.

Je vais faire une randonnée ________________________________.

7. Je veux descendre une rivière qui a des rapides.

Je vais descendre la rivière ________________________________.

8. Je veux explorer un long sentier en un après-midi.

Je vais explorer le sentier ________________________________.

CHOIX
canot / cheval / pied / radeau / raquettes / skis de fond / traîneau à chiens / vélo de montagne

B. **Ajoute deux autres activités selon tes préférences.**

1. Je veux ________________________________.

Je vais ________________________________.

2. Je veux ________________________________.

Je vais ________________________________.

 Copyright © 2006 Pearson Education Canada Inc.

Un forfait complet

A. Complète les phrases suivantes avec l'information de l'affiche aux pages 40 et 41 du livre.

1. La compagnie s'appelle ______________________________.

2. La destination des excursions est la région du ____________ au Québec.

3. Le forfait de deux jours s'appelle ______________________________.

4. Les participants voyagent ______________ et ______________.

5. On chante et on écoute de la ____________ autour du feu.

6. Le forfait de cinq jours s'appelle ______________________________.

7. On fait des randonnées ________________.

8. En équipes, on participe aux ________________.

9. On dort ________________ et ________________.

10. On prend quelques repas en plein air. Ce sont des repas ______________.

B. Quel forfait préfères-tu? Identifie les activités qui t'intéressent. Partage ton choix avec un ou une partenaire.

____

____

____

____

Quel forfait?

A. **Écoute la conversation entre Didier et Amélie. Est-ce que les phrases suivantes sont *vraies* ou *fausses*? Encercle ta réponse.**

1. Amélie pense que le Forfait A est plus excitant que le Forfait B. **V** **F**

2. Didier pense que le Forfait A offre une plus grande variété. **V** **F**

3. Amélie pense qu'un défi coopératif est moins agréable qu'une soirée de chansons et de musique. **V** **F**

4. Didier pense qu'une excursion moins longue est moins amusante. **V** **F**

5. Ils pensent que les repas d'un forfait sont aussi bons que les repas de l'autre. **V** **F**

6. Tous les membres de leur groupe ont beaucoup d'expérience en plein air. **V** **F**

B. **À ton avis, quel forfait est-ce qu'ils vont choisir?**

Ma prédiction : Ils vont choisir le Forfait ___ parce que ______________________________

____.

C. **Écoute le reste de la conversation pour vérifier ta prédiction.**

Vérification : Ils ont choisi le Forfait ___ parce que ______________________________

____.

D. **Est-ce que tu es d'accord avec leur choix? Pourquoi?**

____

____

 Copyright © 2006 Pearson Education Canada Inc.

À mon avis...

A. **Fais des comparaisons. Utilise les choix de la boîte. Fais attention à la forme de l'adjectif!**

Exemple : un repas au feu de bois / un repas à la maison

Un repas au feu de bois ***est plus satisfaisant qu'****un repas à la maison.*

1. une excursion en été / une excursion en hiver

____

2. une randonnée à cheval / une randonnée à vélo

____

3. un jeu coopératif / un jeu compétitif

____

4. une excursion en plein air / des vacances en ville

____

5. une nuit dans une cabane / une nuit sous la tente

____

CHOIX					
plus aussi moins	+	amusant(e) agréable confortable dangereux / dangereuse	difficile intéressant(e) reposant(e) satisfaisant(e)	+	que

B. **Fais d'autres comparaisons. Utilise les choix de la boîte. Fais attention à la forme de l'adjectif!**

1. la pizza au pepperoni / la pizza végétarienne

____

2. les films d'aventure / les comédies

____

CHOIX		
amusant(e)	délicieux / délicieuse	intéressant(e)

Copyright © 2006 Pearson Education Canada Inc.

C'est à vous de décider

A. Lis les renseignements sur deux excursions.

Forfait A : Éco-Aventure	Forfait B : Radeaux radicaux
• trois jours • deux nuits dans une auberge • les repas à l'auberge • une randonnée à pied • deux randonnées à vélo de montagne • les programmes d'interprétation : la nature, l'histoire, la faune • les activités sociales tous les soirs (feu de camp, chansons, jeux)	• cinq jours • trois nuits dans une auberge, une nuit sous la tente • les repas de midi au feu de bois et les soupers à l'auberge • un jour de jeux coopératifs et d'orientation • trois jours d'excursion en radeau • un jour de récréation libre (équipement sportif disponible)

B. Pour chaque critère suivant, écris une phrase qui compare les deux forfaits. Utilise les choix de la boîte.

1. la durée ____________________

____

2. le confort ____________________

____

3. le niveau de difficulté ____________________

____

4. l'intérêt ____________________

____

5. l'atmosphère ____________________

____

CHOIX		
agréable	court(e)	informatif / informative
amusant(e)	difficile	intéressant(e)
aventureux / aventureuse	énergique	long / longue
calme	ennuyeux / ennuyeuse	passionnant(e)
confortable	facile	reposant(e)

 Copyright © 2006 Pearson Education Canada Inc.

Guides de qualité

A. Lis la liste des qualités d'un(e) bon(ne) guide. Y a-t-il des qualités qui ne sont pas mentionnées? Ajoute-les à la liste.

Qualités

- Il / elle connaît très bien la nature.
- Il / elle est énergique et dynamique.
- Il / elle connaît des activités et des jeux coopératifs.
- Il / elle est expert(e) en sports de plein air.
- Il / elle est amusant(e) et drôle.
- ______________________
- ______________________
- Il / elle connaît les consignes de sécurité.
- Il / elle a un bon rapport avec les gens.
- Il / elle sait comment préparer les repas au feu de bois.
- ______________________
- ______________________
- ______________________

B. Selon toi, quelles sont les trois qualités les plus importantes?

Un(e) bon(ne) guide…

1. ______________________

2. ______________________

3. ______________________

C. Regarde les témoignages de la vidéo. La première fois, écoute pour identifier la qualité de chaque guide. Utilise les qualités énumérées de la Partie A. Puis, écoute de nouveau pour identifier un exemple de cette qualité. Utilise les choix de la boîte.

Guide	Qualité	Exemple
Kathy		
Salomon		
David		

CHOIX

- montre au groupe des fleurs sauvages spectaculaires
- donne des leçons de kayak
- prépare du chocolat chaud au feu de bois

Copyright © 2006 Pearson Education Canada Inc.

D. Quel(le) guide de la vidéo préfères-tu? Pourquoi?

____

____

____

E. Complète chaque témoignage avec un choix de la boîte.

1. « Samantha est une guide exceptionnelle! Elle connaît très bien la flore de la région.

____. »

2. « Amal est un guide très professionnel. Le premier jour de l'excursion, il a expliqué l'importance de la sécurité. ____

____. »

3. « Mon guide Ilaq est expert en kayak. C'est un bon instructeur. _______________

____. »

4. « Lucie est une guide très amusante! Elle a un bon rapport avec les gens.___________

____. »

CHOIX

a) Maintenant, je sais quoi faire si mon kayak chavire.
b) Je comprends maintenant comment éviter une rencontre avec un ours, par exemple.
c) Même les plus timides du groupe se sont faits des amis.
d) Elle peut nommer toutes les fleurs sauvages de la forêt.

 Copyright © 2006 Pearson Education Canada Inc.

Lisons!

Soyez prudents!

Quelle consigne est illustrée dans chaque image? Écris le numéro de la consigne qui convient. Utilise les choix de la boîte.

A. ____

B. ____

C. ____

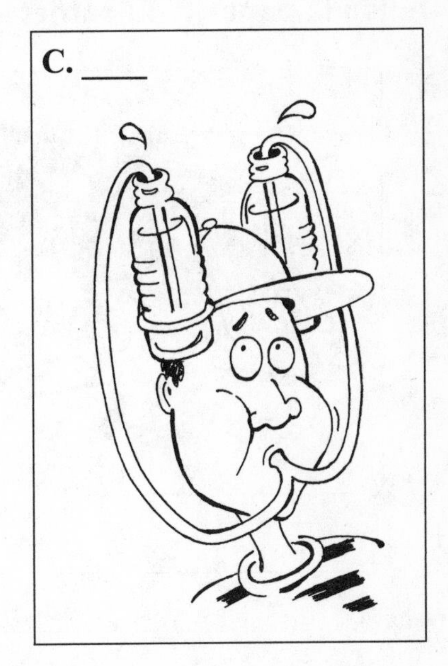

D. ____

E. ____

CHOIX

1. Buvez de l'eau régulièrement. Faites attention à la déshydratation!
2. N'invitez pas les ours! Suspendez la nourriture dans les arbres. Rangez la nourriture et les déchets.
3. Ne partez jamais seul(e) dans une région sauvage ou sur l'eau!
4. Portez plusieurs épaisseurs de vêtements! Le temps peut changer rapidement.
5. Pour éviter les coups de soleil, portez un chapeau, des lunettes de soleil et mettez de l'écran solaire!

Copyright © 2006 Pearson Education Canada Inc.

Identifie les problèmes

Dans les deux illustrations suivantes, il y a huit situations problématiques. Encercle chaque problème et écris les consignes correspondantes sous chaque illustration. Utilise la page 45 du carnet et les pages 46 et 47 du livre pour t'aider.

A.

1. ____________________
2. ____________________
3. ____________________
4. ____________________

B.

5. ____________________
6. ____________________
7. ____________________
8. ____________________

 Copyright © 2006 Pearson Education Canada Inc.

Joue au guide

A. Imagine que le ou la guide, c'est toi. Quelles consignes vas-tu donner? Choisis la bonne forme de l'impératif.

1. Shaquille veut nager seul : ____________________ avec un partenaire.
(Nage / Nageons / Nagez)

2. Saro et Émile ont soif : __________________ de l'eau.
(Bois / Buvons / Buvez)

3. Brian veut partir seul dans la forêt : ________________ toujours avec le groupe.
(Reste / Restons / Restez)

4. Mimi et moi, nous avons peur des animaux sauvages : ________________ calmes.
(Sois / Soyons / Soyez)

B. Réponds aux questions suivantes par une consigne. Utilise la bonne forme de l'impératif au négatif.

Exemple : Bill : Est-ce que je peux **nager** seul?

Guide : *Non, ne nage pas seul.*

1. Elana : Est-ce que mon frère et moi, nous pouvons **nourrir** les canards?

Guide : ____

2. Mia : Est-ce que je peux **boire** l'eau du lac?

Guide : ____

3. Sachel : Est-ce que je peux **quitter** le sentier pour aller dans la forêt?

Guide : ____

4. Stefan : Est-ce que nous pouvons **toucher** à ces plantes sauvages?

Guide : ____

C. Donne des instructions au groupe dont tu fais partie.

Exemple : Dis au groupe d'**aller** nager.

Allons nager!

1. Dis au groupe de **faire** un feu de camp. ______________________________

2. Dis au groupe de **préparer** le dîner. ________________________________

Copyright © 2006 Pearson Education Canada Inc.

Faisons un feu de camp!

A. **Quelle consigne correspond à chaque image? Utilise les choix de la boîte et écris les consignes dans chaque bulle.**

CHOIX	
• Mettons les petites branches sèches en pile.	• Cherchez du bois sec.
• Mettez le bois en forme de tipi.	• Allume les petites branches sèches.

B. **Avec un ou une partenaire, mettez les consignes de la Partie A dans le bon ordre (1 à 4). Écrivez le numéro dans chaque case.**

 Copyright © 2006 Pearson Education Canada Inc.

Après le projet final : Mon auto-évaluation

A. Pense à ta présentation. Complète les phrases avec les choix de la boîte.

1. Je fais des progrès. Pendant ma présentation, j'ai réussi à ______________________________

____.

2. Pour faire plus de progrès la prochaine fois, je vais essayer de / d' ____________________

____.

CHOIX

- utiliser de nouveaux mots et de nouvelles expressions
- bien prononcer
- utiliser un aide-mémoire
- regarder l'auditoire
- utiliser des gestes
- parler en français seulement

B. Pense à ton travail de groupe. Complète les phrases avec les choix de la boîte.

1. Voici un point fort de notre travail de groupe. Nous avons réussi à ____________________

____.

2. Voici un point à développer dans notre travail de groupe. La prochaine fois, nous devons

____.

CHOIX

- partager équitablement les rôles
- respecter les opinions des autres
- terminer le travail à temps
- mieux exprimer nos opinions
- parler en français seulement
- préparer une présentation intéressante

C. Pense aux présentations des autres groupes. Encercle ta réponse.

1. J'ai compris les présentations.
a) un peu **b)** assez **c)** beaucoup

2. Je suis satisfait(e) de notre choix d'excursion.
a) un peu **b)** assez **c)** beaucoup

À la fin de l'unité…

A. Maintenant, je peux…

	très bien	bien	avec un peu de difficulté	avec difficulté
• exprimer mes préférences sur les activités en plein air.	❑	❑	❑	❑
• décrire quelques parcs nationaux du Canada.	❑	❑	❑	❑
• décrire et comparer les excursions d'aventures.	❑	❑	❑	❑
• donner des consignes de sécurité.	❑	❑	❑	❑
• utiliser les stratégies pour bien participer aux activités interactives et coopératives.	❑	❑	❑	❑

B. Dans cette unité…

a) j'ai appris : ______________________________

____

b) j'ai beaucoup aimé : ______________________________

____

c) je n'ai pas aimé : ______________________________

____

C. Voici deux situations où je peux utiliser mes nouvelles connaissances et stratégies :

• ______________________________

• ______________________________

 Copyright © 2006 Pearson Education Canada Inc.

Unité 3 : Mon style, ma mode Feuille de route

1. **Phase 1 Phase 2 En groupes, prenez les décisions suivantes. Utilisez les choix de la liste.**

a) Les membres de notre groupe sont ____________________, ____________________, ____________________, ________________________ et moi.

b) Notre groupe va préparer ____.

c) Notre groupe va présenter une collection de vêtements pour ____________________ ____________________________.

d) On porte ces vêtements ____.

(b) Choix de présentation	(c) Choix de thème	(d) Choix de saison
• un défilé de mode • une présentation d'affiches sur papier / sur ordinateur	• aller à l'école • aller à un événement spécial • faire du sport • autre : ____________	• en hiver • au printemps • en été • en automne

2. **Phase 3 En groupes, notez les décisions prises à la page 59 du carnet. Écrivez votre inspiration, votre marque et dessinez votre logo.**

a)

Notre collection s'inspire de : ____________________	
Notre marque	**Notre logo**

b) Préparez une affiche pour illustrer votre marque et votre logo.

3. **Phase 4 En groupes, préparez l'introduction de votre présentation. Écrivez le brouillon à l'aide des suggestions suivantes.**

- ☐ **a)** Identifiez le nom de votre marque et son lieu d'origine.
- ☐ **b)** Dites qui a créé votre marque.
- ☐ **c)** Mentionnez le thème et la saison de votre collection.
- ☐ **d)** Présentez l'idée qui inspire votre collection.
- ☐ **e)** Identifiez votre logo et expliquez pourquoi vous l'avez choisi.
- ☐ **f)** Utilisez des ressources et la rubrique pour vérifier votre brouillon.
- ☐ **g)** Échangez votre brouillon avec un autre groupe et lisez son introduction. Comprenez-vous ses idées? Donnez des suggestions.

4. Phase 5 Complète ce graphique pour t'aider à préparer tes choix de vêtements.

a)

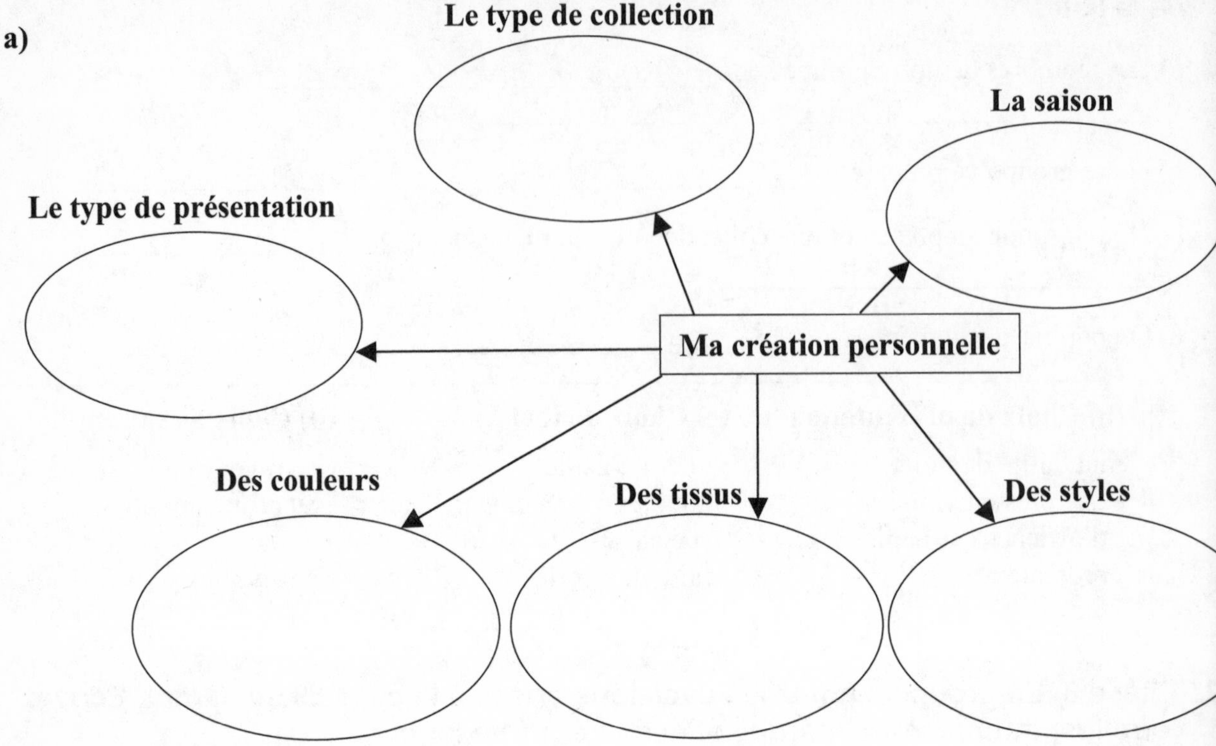

b) Fais une esquisse de tes vêtements.

5. Phase 6 Ajoute un élément technologique à tes vêtements. Consulte les pages 68 et 69 du livre.

a) Si tu participes à un défilé de mode, mets les vêtements ensembles.
b) Si tu participes à une présentation, dessine tes vêtements sur une grande affiche.

6. Phase 7 Fais la description de tes vêtements. Écris le brouillon à l'aide des suggestions suivantes.

- ❑ a) Présente le mannequin dans le défilé de mode ou sur ton affiche.
- ❑ b) Identifie les vêtements que cet(te) élève porte.
- ❑ c) Fais la description des couleurs, des tissus et des styles de ces vêtements.
- ❑ d) Explique quand on peut porter ces vêtements.
- ❑ e) Remercie le mannequin ou le public.
- ❑ f) Utilise des ressources et la rubrique pour vérifier ton brouillon.
- ❑ g) Échange ton brouillon avec un ou une partenaire et lis sa description. Comprends-tu ses idées? Donne des suggestions.
- ❑ h) Prépare une copie finale de ta description de vêtements pour le magazine de mode ou le site web de la classe.

 Copyright © 2006 Pearson Education Canada Inc.

7. **Phase 8 En groupes, décrivez des célébrités dans le tableau ci-dessous. Ensuite, votez pour la célébrité qui va représenter votre collection.**

Nom de la célébrité	Domaine	Carrière	Origine	Il / Elle répresente bien notre marque parce que / qu'...
1. ________	________	________	________	________
2. ________	________	________	________	________
3. ________	________	________	________	________

8. **Phase 9 En groupes, préparez la conclusion de votre présentation. Écrivez le brouillon à l'aide des suggestions suivantes.**

- ❑ **a)** Nommez la célébrité qui fait la promotion de votre collection.
- ❑ **b)** Identifiez le domaine dans lequel cette personne est célèbre.
- ❑ **c)** Mentionnez la carrière de cette personne et son lieu d'origine.
- ❑ **d)** Dites pourquoi cette personne représente bien votre collection.
- ❑ **e)** Utilisez des ressources et la rubrique pour vérifier votre brouillon.
- ❑ **f)** Échangez votre brouillon avec un autre groupe et lisez sa conclusion. Comprenez-vous ses idées? Donnez des suggestions.

9. **Phase 10 En groupes, divisez le travail. Utilisez le tableau ci-dessous.**

	Tâche	Membre du groupe
a)	Présenter la marque.	________
b)	Présenter le logo.	________
c)	Présenter l'affiche / les vêtements de ________.	________
d)	Présenter l'affiche / les vêtements de ________.	________
e)	Présenter l'affiche / les vêtements de ________.	________
f)	Présenter l'affiche / les vêtements de ________.	________
g)	Présenter l'affiche / les vêtements de ________.	________
h)	Présenter la célébrité.	________
i)	Être responsable de la musique.	________
j)	Être responsable des accessoires.	________
k)	Être responsable des affiches.	________

Es-tu accro de la mode?

Encercle la réponse qui te décrit.

1. J'économise mon argent parce que j'aime acheter des vêtements à la mode.
a) souvent
b) parfois
c) rarement
d) jamais

2. Je regarde les défilés de mode à la télé.
a) souvent
b) parfois
c) rarement
d) jamais

3. Je remarque les vêtements de mes ami(e)s et d'autres personnes.
a) souvent
b) parfois
c) rarement
d) jamais

4. Je consulte les magazines pour vérifier les dernières modes.
a) souvent
b) parfois
c) rarement
d) jamais

5. J'adore inventer ma propre mode, mon propre style.
a) souvent
b) parfois
c) rarement
d) jamais

6. Je porte des vêtements de spécialité pour faire du sport.
a) souvent
b) parfois
c) rarement
d) jamais

7. J'achète mes vêtements dans une friperie pour me créer mon propre style.
a) souvent
b) parfois
c) rarement
d) jamais

8. Je fais des échanges de vêtements avec mes ami(e)s.
a) souvent
b) parfois
c) rarement
d) jamais

9. J'aime porter un nouveau vêtement à la mode avant les autres.
a) souvent
b) parfois
c) rarement
d) jamais

10. Quand j'ai du temps libre, je vais magasiner.
a) souvent
b) parfois
c) rarement
d) jamais

 Copyright © 2006 Pearson Education Canada Inc.

Je calcule et j'observe

A. Identifie le nombre de points qui correspond à chaque lettre encerclée dans ton sondage à la page 54 et calcule ton résultat. Ensuite, lis ton profil!

a = 3 points	b = 2 points	c = 1 point	d = 0 point

Si tu as…

- de 24 points à 30 points : Tu es accro de la mode!
- de 21 à 23 points : La mode est très importante pour toi.
- de 15 à 20 points : La mode est assez importante mais tu peux porter n'importe quoi.
- de 9 à 14 points : Tu préfères porter des vêtements confortables.
- de 5 à 8 points : Tu portes des vêtements que tu aimes.
- de 0 à 4 points : La mode n'est pas du tout importante pour toi.

B. Calcule les résultats pour les filles, les garçons et pour ton enseignant(e). Ensuite, montre les résultats dans le diagramme ci-dessous. Fais des observations.

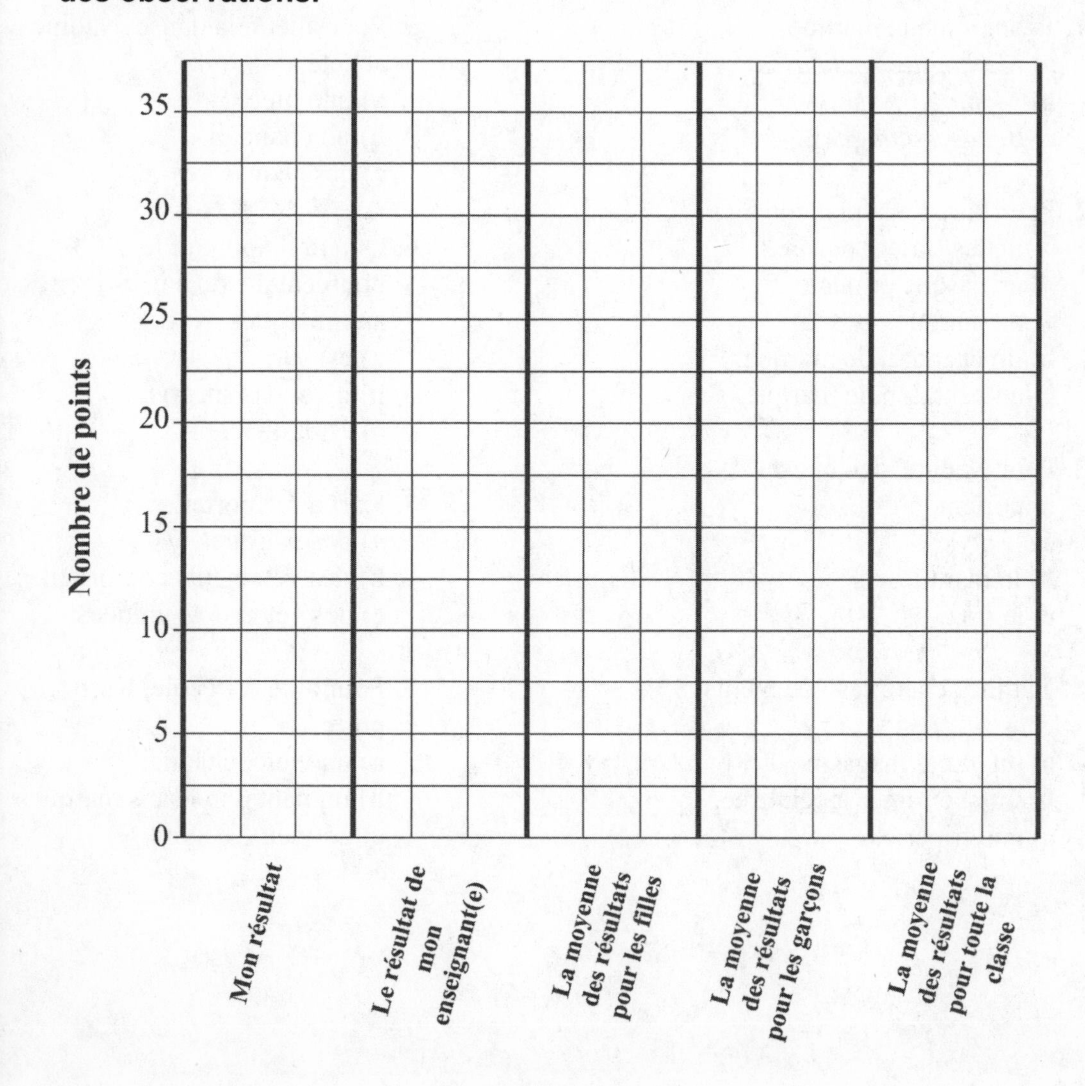

Sensation mode jeunesse

A. Avant d'écouter l'émission *Sensation mode jeunesse*, lis les questions et encercle tes prédictions. Ensuite, écoute bien pour vérifier tes prédictions.

La popularité des marques chez les jeunes francophones de 12 à 17 ans	Prédictions	Vérification
1. Quel pourcentage de jeunes francophones aime porter des vêtements de marque?	25 % 50 % 75 %	25 % 50 % 75 %
2. Est-ce que les vêtements de marque sont plus importants chez les filles ou les garçons?	les filles les garçons	les filles les garçons

B. Écoute l'émission une deuxième fois et complète les phrases suivantes.

____ **1.** Javier aime la marque…
a) *Montagnes rocheuses.*
b) *Montagnes russes.*
c) *Belles montagnes.*

____ **2.** Pour faire de la planche à roulettes, Javier porte...
a) un casque protecteur de marque.
b) un chandail de marque.
c) un pantalon de marque.

____ **3.** Pour Nadine, ce qui est important, c'est...
a) le style.
b) la marque.
c) le prix.

____ **4.** Nadine achète ses vêtements dans...
a) un grand magasin.
b) une boutique spécialisée.
c) une friperie.

____ **5.** Pour aller à la danse, Nadine a acheté...
a) une jupe.
b) un chandail.
c) des chaussures.

____ **6.** Quand il apprend le pourcentage de jeunes intéressés aux marques, Karl...
a) est surpris.
b) n'est pas surpris.
c) est indifférent.

____ **7.** Karl aime porter...
a) des marques.
b) des vêtements confortables.
c) des vêtements uniques.

____ **8.** Pour aller à l'école, Karl porte…
a) un vieux chandail.
b) un pantalon «sans marque».
c) un vieux T-shirt.

 Copyright © 2006 Pearson Education Canada Inc.

Enquête sur la mode

A. Complète les phrases suivantes d'après les deux rôles de cette entrevue.

Animateur / Animatrice : Bonjour et bienvenue à *Sensation mode jeunesse*! Ici ________________. Aujourd'hui, nous avons ________________ en studio pour parler de mode et de marques. Bonjour ________________.

La personne interviewée : Bonjour.

Animateur / Animatrice : ________________, peux-tu décrire à nos auditeurs et à nos auditrices ce que tu portes aujourd'hui?

La personne interviewée : D'accord. Aujourd'hui, je porte ____.

Animateur / Animatrice : Et pourquoi portes-tu ces vêtements? Qu'est-ce qui influence tes choix?

La personne interviewée : Eh bien, je porte ____________________ parce que / parce qu'…

• il est / elle est confortable. • c'est nouveau. • j'adore cette marque. • mes vêtements préférés sont au lavage.	• c'est ma couleur préférée. • c'est un style branché. • je n'ai rien d'autre à mettre. • il fait frais / froid / chaud aujourd'hui.

Animateur / Animatrice : ______________, les vêtements de marque, ça t'intéresse?

La personne interviewée :

• Oui, beaucoup.	• Non, pas vraiment.
• Oui, assez.	• Non, pas du tout.

Animateur / Animatrice : Peux-tu nous expliquer pourquoi?

La personne interviewée : Les vêtements de marque sont / ne sont pas importants pour moi parce que / parce qu'…

• ils représentent le style que je cherche. • ils offrent des vêtements de spécialité.	• je préfère créer mon propre style. • pour moi, c'est le confort qui compte.

Par exemple, j'aime bien porter ____.

Animateur / Animatrice : Merci ________________ pour ta coopération et au revoir!

B. Avec un ou une partenaire, lisez l'entrevue à voix haute. Ensuite, changez de rôle.

Copyright © 2006 Pearson Education Canada Inc.

Maîtres de la mode

A. Examine les activités et les préférences de quatre jeunes. Ensuite, lis les articles aux pages 62 et 63 du livre et choisis une marque appropriée pour chaque personne. Note tes suggestions dans la deuxième rangée.

	Silvia	Léo	Naomi	Sarée
1. Activités et préférences	Elle aime les vêtements chauds.	Il aime le confort.	Elle fait du vélo.	Il va à une danse.
2. Suggestions de marques				

B. Relis les articles aux pages 62 et 63 du livre et remplis le tableau ci-dessous.

	Modrobes	GABS	Louis Garneau	MEC
1. Quel logo est associé à chaque marque?				
2. Cette marque est-elle française ou canadienne?				
3. Qui sont le ou les fondateurs de cette entreprise / marque?				
4. En quelle année la marque a-t-elle été fondée?				
5. De quoi est-ce que cette marque s'inspire?				
6. Quel type de vêtements crée-t-on?				

 Copyright © 2006 Pearson Education Canada Inc.

Notre marque, notre logo

Écrivons! Parlons!

A. En groupes, aidez ces entreprises à créer des collections de vêtements. Complétez l'élément qui manque dans les cases 1 à 3. Ensuite, partagez vos suggestions avec la classe.

1. Collection : Vêtements pour aller à un événement spécial. On porte ces vêtements au printemps et en été. **Inspiration :** l'avenir **Marque :** Intergalactique **Logo :**	**2. Collection :** Vêtements pour faire du sport. On porte ces vêtements en été. **Inspiration :** ____________________ **Marque :** Triomphe **Logo :**
3. Collection : Vêtements pour aller à l'école. On porte ces vêtements en automne et en hiver. **Inspiration :** l'individualisme **Marque :** ____________________ **Logo :**	**4. Notre collection :** ____________________ ____________________ **Notre collection s'inspire :** ____________________ **Notre marque :** ____________________ **Notre logo :**

B. Maintenant, inspirez-vous de ces exemples et des choix ci-dessous pour votre propre collection de vêtements. Complétez la case 4.

CHOIX D'INSPIRATION		
de la couleur...	de l'avenir	de l'originalité
de notre école	du confort	d'un passe-temps...
de l'environnement	de l'individualisme	du passé
de l'expérience...	de la musique	d'un sport...

Copyright © 2006 Pearson Education Canada Inc.

Tant de choix!

A. **Sonia et Sven veulent acheter un cadeau d'anniversaire pour leur amie. Complète le dialogue avec *ce, cet, cette, ou ces*.**

La vendeuse : Bonjour, je peux vous aider?

Sonia : Oui… euh… On achète un cadeau d'anniversaire. _______ boutique est nouvelle?

La vendeuse : Oui, et on a une très bonne sélection. Vous cherchez…?

Sven : _____ **pantalon décontracté** et ____ **T-shirt-là** dans la vitrine sont super beaux. C'est combien pour l'ensemble?

La vendeuse : C'est 89,99 $ pour _____ ensemble. C'est un très bon choix pour votre amie.

Sonia : Ah, vraiment? Eh bien, je ne les trouve pas si beaux que ça… Attendez… ____ **chandail-ci** n'est pas mal. Surtout en violet. Ça coûte combien?

La vendeuse : Ça coûte 60 $... ________ marque est très branchée.

Sven : Écoute Sonia, allons ailleurs. Je ne trouve vraiment rien à mon goût dans ____ magasin…

La vendeuse : Vous voulez peut-être regarder là-bas. _____ **vêtements-là** sont en solde…

Sonia : Merci quand-même. Non… attends! Regarde _____ **chaussettes-là** en vert et orange fluo. Elles sont…

La vendeuse : Ça coûte 3,99 $ pour ______ paire de chaussettes, mademoiselle.

Sonia : Super! Elles sont parfaites!

Sven : Oui, c'est bien. On les prend!

B. **En groupes de trois, jouez les rôles de Sonia, de Sven et de la vendeuse. Faites des substitutions pour les vêtements en caractères gras à l'aide des choix ci-dessous. N'oubliez pas de changer *ce, cet, cette* et *ces*.**

CHOIX		
un anorak / des anoraks	une chemise / des chemises	un jean / des jeans
un chandail / des chandails	des gants	une jupe / des jupes
des chaussures	un imperméable / des imperméables	une veste / des vestes

 Copyright © 2006 Pearson Education Canada Inc.

Mes préférences

A. Fais des choix de vêtements pour les situations suivantes et justifie tes choix. Utilise les choix de la boîte.

Exemple : Je vais à la danse de notre école mercredi soir.
Je porte un jean et ma chemise bleue parce que ce sont de nouveaux vêtements.

1. Je vais jouer au soccer après l'école.

____

2. Je vais au camp pendant trois semaines cet été.

____

3. Je vais au cinéma avec mes ami(e)s vendredi soir.

____

4. Je vais magasiner avec mes ami(e)s samedi après-midi.

____

CHOIX		
à la mode	confortable	nouveau / nouvelle
beau / belle	décontracté(e)	original(e)
branché(e)	différent(e)	pratique
chic	habillé(e)	sportif / sportive

B. Avec un ou une partenaire, faites des choix de logos et justifiez vos choix.

Exemple : Notre marque est *Vêtements Bananes*.
Notre logo est un singe parce que les singes adorent les bananes.

1. *Salsa* est notre marque.

____

2. *Cougars* est notre marque.

____

3. Notre marque est *Action verte*.

____

4. Notre marque est *Enchantement*.

____

Copyright © 2006 Pearson Education Canada Inc.

Comparons!

VOCABULAIRE

Compare les deux chemises et les deux pantalons. Écris la lettre correspondant au vêtement à côté de la bonne description.

Les chemises	**Les pantalons**
A B	C D
1. sans col _____ à col pointu _____	**1.** à taille haute _____ à taille basse _____
2. sans manches _____ à manches courtes _____ à manches longues _____	**2.** à jambes droites _____ à jambes évasées _____
3. sans fermeture _____ avec fermeture à boutons _____ avec fermeture à glissière _____	**3.** sans fermeture _____ avec fermeture à boutons _____ avec fermeture à glissière _____
4. avec poches _____ sans poches _____	**4.** avec poches _____ sans poches _____
5. ample _____ ajustée _____	**5.** ample _____ ajusté _____
6. sans motifs _____ à carreaux _____ rayée _____ avec logo _____	**6.** sans motifs _____ à carreaux _____ rayé _____ avec logo _____
7. pâle _____ foncée _____	**7.** pâle _____ foncé _____
8. en coton _____ en denim _____ en polyester _____	**8.** en coton _____ en denim _____ en polyester _____

 Copyright © 2006 Pearson Education Canada Inc.

À la mode?

A. **Écoute bien. Écris le numéro de la description à côté de chaque image.**

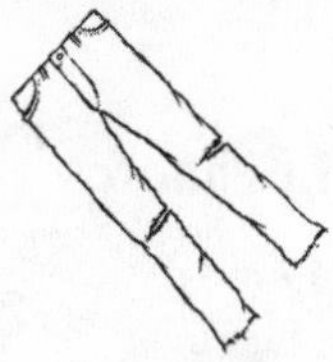

☐ un jean usé et ______________________________
____

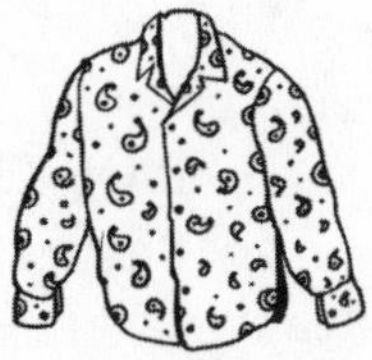

☐ une tunique brodée ______________________________
____

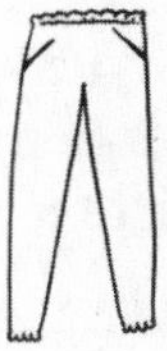

☐ un pantalon de sport ______________________________
____

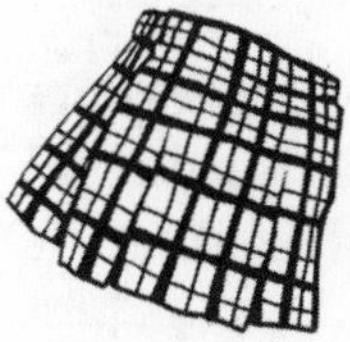

☐ une jupe courte ______________________________
____

☐ un chandail côtelé ______________________________
____

☐ un gilet sans manches ______________________________
____

☐ un blouson ample ______________________________
____

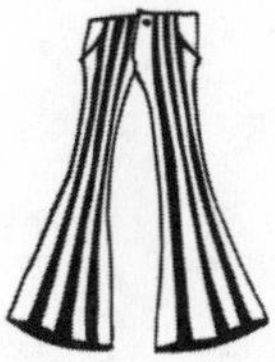

☐ un pantalon rayé ______________________________
____

B. **Écoute les descriptions une deuxième fois. Écris la description de chaque vêtement à l'aide des choix ci-dessous.**

CHOIX

- à bas élastique
- à capuchon
- à carreaux
- à col roulé
- à jambes évasées
- à motifs
- avec fermeture à glissière
- à taille basse
- sans manches

Copyright © 2006 Pearson Education Canada Inc.

Couleurs de la mode

A. Regarde les photos A à E aux pages 66 et 67 du livre. À quelle décennie associes-tu chaque photo? les années 1950? 1960? 1970? 1980? notre décennie?

Photo A. Les années _______ Photo B. Les années _______ Photo C. Les années _______
Photo D. Les années _______ Photo E. Les années _______

B. Maintenant, regarde et écoute le reportage sur les tendances de la mode. Complète le tableau suivant à l'aide des choix au bas de la page.

Quelle décennie?	**Quels événements ont influencé cette décennie?**	**Quels personnages ont influencé cette décennie?**	**Quels styles étaient à la mode dans cette décennie?**
1. Les années 1950			
2. Les années 1960			
3. Les années 1970			
4. Les années 1980			
5. Aujourd'hui			

CHOIX

Les événements
a) l'exploration de l'espace
b) l'exploration musicale
c) les groupes de musique et les vedettes de sport
d) les manifestations pour la paix
e) la musique rock 'n' roll

Les personnages
a) Jimi Hendrix
b) Elvis Presley
c) les rappeurs
d) Madonna
e) Nancy Sinatra

Les styles
a) le style ajusté
b) le style bohème
c) le style géométrique
d) le style *New Wave*
e) le style rappeur

 Copyright © 2006 Pearson Education Canada Inc.

Vêtements intelligents

A. Nomme quatre gadgets technologiques qui sont indispensables pour toi. Lis les articles aux pages 68 et 69 du livre et identifie les vêtements qui t'offrent ces gadgets.

Mes gadgets préférés		Les vêtements intelligents
1. ____________	⟶	____________
2. ____________	⟶	____________
3. ____________	⟶	____________
4. ____________	⟶	____________

B. Relis les articles. Ensuite, lis les phrases suivantes et encercle la bonne réponse.

1. On peut regarder deux écrans en même temps.
a) le blouson rythmique
b) la chemise branchée
c) les lunettes écrans

2. On peut choisir un nouveau motif pour ce vêtement à l'ordinateur.
a) le blouson rythmique
b) le maillot de compétition
c) la chemise branchée

3. Ce vêtement mesure la fréquence cardiaque.
a) le blouson rythmique
b) la chemise branchée
c) le maillot de compétition

4. Ce vêtement peut changer de couleur.
a) le blouson rythmique
b) la chemise branchée
c) les lunettes écrans

5. Il y a un clavier flexible intégré à la manche de ce vêtement.
a) le blouson rythmique
b) la chemise branchée
c) le maillot de compétition

6. Avec ce vêtement, l'athlète peut lire immédiatement ses résultats.
a) le maillot de compétition
b) la chemise branchée
c) les lunettes écrans

7. On peut naviguer sur Internet.
a) le blouson rythmique
b) le maillot de compétition
c) les lunettes écrans

8. Les écouteurs sont intégrés au col de ce vêtement.
a) le maillot de compétition
b) le blouson rythmique
c) les lunettes écrans

Choix multiples

A. Écoute ces jeunes parler de leurs activités préférées. Utilise les choix au bas de la page pour compléter le numéro 1 pour chaque personne.

Riccardo

1. En hiver, il aime : ______________________

2. Il porte :

a) un casque ______________
b) un chandail ______________
c) un manteau ______________
d) un pantalon ______________
e) des gants ______________

Roxanne

1. Au printemps, elle aime : ______________________

2. Elle porte :

a) une jupe ______________
b) une blouse ______________
c) un gilet ______________
d) des chaussettes ______________
e) des chaussures ______________

Patrick

1. En été, il aime : ______________________

2. Il porte :

a) un short ______________
b) un T-shirt ______________
c) des sandales ______________
d) un jean ______________
e) un blouson ______________

Mia

1. En automne, elle aime : ______________________

2. Elle porte :

a) un jean ______________
b) une chemise ______________
c) une ceinture ______________
d) une veste ______________
e) des chaussures ______________

B. Écoute une deuxième fois et note les détails des vêtements. Complète le numéro 2 pour chaque personne avec les choix ci-dessous. Fais attention à l'accord des adjectifs!

CHOIX

Les activités	Les couleurs	Les tissus	Les styles
• aller au cinéma	• blanc	• en coton	• à jambes évasées
• aller au chalet	• bleu	• en cuir	• à manches longues
• aller à une danse	• brun	• en denim	• à motifs géométriques
• aller magasiner	• délavé	• en gortex	• à plate-formes
• faire du camping	• noir	• en laine	• avec logo
• faire de la planche à neige	• rouge	• en molleton	• de ski
	• vert	• en velours	

 Copyright © 2006 Pearson Education Canada Inc.

S.O.S. mode

Lis les courriels de ces jeunes. Ensuite, réponds à chaque jeune avec de bons conseils.

1\.

Bonjour,

J'ai 14 ans. Je vais à la première danse de l'année à mon école et je veux impressionner les filles. Je veux porter des vêtements vraiment originaux. Qu'est-ce que tu me recommandes?

Indécis

Cher Indécis,

À mon avis, tu devrais porter ______________________________

______________________________.

Je propose ces vêtements parce que ______________________________

______________________________.

Bonne chance,

____

2\.

Salut,

Mon amie m'a invitée au théâtre avec sa famille. C'est la première fois que je vais au théâtre et je ne sais vraiment pas quoi mettre. C'est l'hiver. As-tu des suggestions?

Indécise

Cher Indécise,

Je suggère que tu portes ______________________________

______________________________.

Je propose ces vêtements parce que ______________________________

______________________________.

Amuse-toi bien,

____

Célébrités à la mode

A. **Regarde les annonces publicitaires aux pages 72 et 73 du livre. Dans quel domaine est-ce que ces personnages sont célèbres? Encercle tes choix. Écoute pour vérifier tes choix.**

L'annonce publicitaire	**C'est peut-être une célébrité dans le monde...**	
GABS	**a)** de la musique **c)** du sport	**b)** de la mode **d)** du cinéma et de la télévision
Nike	**a)** de la musique **c)** du sport	**b)** de la mode **d)** du cinéma et de la télévision
Roots	**a)** de la musique **c)** du sport	**b)** de la mode **d)** du cinéma et de la télévision
Louis Garneau	**a)** de la musique **c)** du sport	**b)** de la mode **d)** du cinéma et de la télévision

B. **Écoute la conversation une deuxième fois et remplis le tableau.**

L'annonce publicitaire	**Le nom de la célébrité**	**La carrière de la célébrité**	**L'origine de la célébrité**	**Cette célébrité représente bien la marque parce qu'...**
GABS				
Nike				
Roots				
Louis Garneau				

• André Agassi • David Pelletier • Jamie Salé • Lyne Bessette • Passi	• cycliste • joueur / joueuse de tennis • patineur / patineuse artistique • rappeur / rappeuse	• de l'Alberta • du Congo • des États-Unis • de la France • du Québec	• il / elle a gagné une médaille. • il / elle chante de la musique rap. • il / elle joue au tennis partout dans le monde. • il / elle participe à des compétitions internationales.

 Copyright © 2006 Pearson Education Canada Inc.

Rêver en couleurs!

Regarde les images de la bande dessinée et lis la conversation entre le vendeur et le garçon. Complète le dialogue à l'aide des choix au bas de la page.

Garçon : Vous avez des _________ Starmania? Mec Polaire fait la promotion de ces chandails.

Vendeur : Hmm… Ces chandails-là…? Je _______________. Il n'y en a plus...

Vendeur : Pourquoi pas ce chandail-là? Il est semblable mais il n'a pas de ________. Ça __________________ seulement 19,98 $.

Garçon : Absolument pas! Je veux le chandail de Mec Polaire. Il est ___________! Il vient de l'_____________! Il est _______!

Vendeur : Mais regarde, je fais la _____________ de ce chandail-ci!

Garçon : Tout le monde veut __________ le style de Mec Polaire. Il rêve en __________, ce vendeur!

CHOIX :
Angleterre
célèbre
chandails
chanteur
copier
couleurs
coûte
logo
promotion
regrette

Copyright © 2006 Pearson Education Canada Inc.

Lieux et origines

A. **Utilise ton livre et ton carnet comme ressources pour noter toutes les réponses possibles dans les tableaux suivants.**

Les célébrités	**Cette personne** • **est née…** • **s'entraîne...** • **travaille...**	**Cette personne** • **vient…** • **est originaire...**
Exemple : Lyne Bessette	*s'entraîne au Québec.*	*vient du Québec.*
1. Sheila Dassin	______________	______________
2. Christian Dior	______________	______________
3. Alfred Sung	______________	______________
4. Andy Thê-Anh	______________	______________
5. Passi	______________	______________

Les marques	**Cette marque** • **a été fondée…** • **a été créée...**	**Cette marque** • **vient…**
Exemple : ***Levi's***	*a été fondée aux États-Unis.*	*vient des États-Unis.*
1. *Modrobes*	______________	______________
2. *GABS*	______________	______________
3. *MEC*	______________	______________
4. *France Télécom*	______________	______________
5. *Louis Garneau*	______________	______________
6. *Sensatex*	______________	______________
7. *Micro Optical*	______________	______________
8. *Infineon*	______________	______________

B. **Consulte les pages 74 et 75 du livre. Une fois que tu as compris les règles d'usage, remplis les tableaux de la Partie A.**

 Copyright © 2006 Pearson Education Canada Inc.

Qui est-ce?

Ça marche! Écrivons! Lisons! Parlons!

Écris des descriptions de célébrités à l'aide du tableau au bas de la page. Après, lis les descriptions à voix haute et demande à un ou une partenaire de deviner l'identité de la célébrité.

Exemple : *Elle est célèbre dans le monde de la musique. Elle est chanteuse. Elle vient du Québec. Elle a chanté dans le film* La Belle et la Bête *de Walt Disney.*
Qui est-ce? *C'est Céline Dion.*

1. ____

____

Qui est-ce ? ______________________

2. ____

____

Qui est-ce ? ______________________

3. ____

____

Qui est-ce ? ______________________

Domaines	Carrières	Origines	Accomplissements
• le cinéma • la musique • le sport • la télévision	• acteur / actrice • artiste • athlète • chanteur / chanteuse • cycliste • danseur / danseuse • musicien / musicienne • skieur / skieuse	• l'Alberta • l'Angleterre • l'Australie • la Colombie-Britannique • les États-Unis • l'Europe • l'Île-du-Prince-Édouard • le Manitoba • le Nouveau-Brunswick • la Nouvelle-Écosse • l'Ontario • le Québec • la Saskatchewan • Terre-Neuve-et-Labrador	• a chanté dans le film... • a dansé • a fait du ski • a fait un disque compact qui s'appelle... • a gagné une médaille... • a gagné un prix • a joué au tennis... • a joué de la batterie... • a joué de la guitare... • a joué un rôle...

Après le projet final : Mon auto-évaluation

A. Pense à ton travail de groupe. Complète les phrases avec les choix de la boîte ci-dessous.

1. Voici un point fort de notre travail de groupe. Nous avons réussi à...

____

2. Voici un point à développer dans notre travail de groupe. La prochaine fois, nous devons...

____

CHOIX

- partager équitablement les rôles.
- respecter l'opinion des autres.
- terminer le travail à temps.
- mieux exprimer nos opinions.
- parler seulement français.
- préparer une présentation intéressante.

3. Je suis satisfait(e) de notre collection de vêtements : notre marque, notre logo et notre célébrité.

a) un peu
b) assez
c) beaucoup

B. Pense à ta contribution personnelle. Complète la phrase avec les choix de la boîte ci-dessous.

1. Pendant la présentation, j'ai...

____

CHOIX

- bien joué mon rôle.
- utilisé des phrases simples.
- aidé les membres de mon groupe.
- fait attention à ma prononciation.

2. Je suis satisfait(e) de ma création et de ma description.

a) un peu
b) assez
c) beaucoup

C. Pense à ta fiche d'écoute. Encercle la bonne réponse.

1. J'ai compris les présentations.

a) un peu
b) assez
c) beaucoup

2. Je suis satisfait(e) de mes choix de vêtements pour ma famille et mes ami(e)s.

a) un peu
b) assez
c) beaucoup

 Copyright © 2006 Pearson Education Canada Inc.

À la fin de l'unité...

A. Maintenant, je peux...

	très bien ●	bien ◕	avec un peu de difficulté ◑	avec difficulté ◔
• justifier mes choix.	❑	❑	❑	❑
• donner mon opinion sur les vêtements de marque.	❑	❑	❑	❑
• parler de la mode des dernières décennies.	❑	❑	❑	❑
• décrire des vêtements.	❑	❑	❑	❑
• décrire l'origine d'une personne ou d'une chose.	❑	❑	❑	❑
• nommer quelques célébrités francophones.	❑	❑	❑	❑

B. Dans cette unité...

a) j'ai appris : ______________________________

____

b) j'ai beaucoup aimé : ______________________________

____

c) je n'ai pas aimé : ______________________________

____

C. Voici deux situations où je peux utiliser mes nouvelles connaissances et stratégies :

• ______________________________

• ______________________________

Copyright © 2006 Pearson Education Canada Inc.

Unité 4 : Mordu du sport! Feuille de route

A. Le bulletin de nouvelles

1. Phase 2 Avec un ou une partenaire, choisissez chacun un sport et un événement sportif pour votre émission.

a) Mon ou ma partenaire pour le projet final est ______________________.

b) Nous allons présenter ces deux sports dans notre émission sportive :

- ______________________
- ______________________

c)

Cet événement sportif est associé à mon sport… • ______________________ Cet événement sportif a eu lieu… • ______________________	Cet événement sportif est associé au sport de mon ou ma partenaire… • ______________________ Cet événement sportif a eu lieu… • ______________________

2. Phase 3 Utilise un site web francophone pour faire des recherches sur ton événement sportif. Donne les informations appropriées.

a) L'événement sportif :

- Quand est-ce que ton événement a eu lieu? ______________________

b) Les participants : ______________________

- Quel(le)s athlètes ont participé? ______________________
- Quelles équipes ont participé? ______________________

c) Les résultats :

- Qui a gagné? ______________________
- Qui a marqué des points? ______________________
- Qui a marqué des buts? ______________________
- Qui a terminé au premier rang? ______________________
- En combien de temps est-ce que l'athlète a terminé la course? ______________________

3. Phase 4 Prépare ton bulletin de nouvelles.

- ☐ Identifie le sport et l'événement.
- ☐ Identifie la date et le lieu de l'événement.
- ☐ Décris le match / la compétition et donne les résultats.
- ☐ Utilise des ressources et la rubrique pour vérifier ton brouillon.
- ☐ Échange ton brouillon avec ton ou ta partenaire. Comprends-tu ses idées? Fais des suggestions.

 Copyright © 2006 Pearson Education Canada Inc.

B. Le commentaire sportif

1. Phase 5 Relis ton bulletin de nouvelles et la Fiche reproductible 11, *Comparaisons*. Note des sujets de comparaisons dans la section des faits et dans la section des opinions.

Faits : *(ex. des points, de l'expérience)*

____

Opinions : *(ex. efficace, du talent)*

____

2. Phase 6 Avec ton ou ta partenaire, préparez vos commentaires sportifs. Utilisez les commentaires de la page 88 comme modèles.

- ❑ Choisissez deux comparaisons de la section B.1. pour votre commentaire et deux comparaisons pour le commentaire de votre partenaire.
- ❑ Ajoutez des expressions interactives à vos deux commentaires. Consultez le Guide de la communication aux pages 176-177 du livre.
- ❑ Utilisez des ressources et la rubrique pour vérifier votre brouillon.
- ❑ Échangez votre brouillon avec un autre groupe et lisez son commentaire sportif. Comprenez-vous ses idées? Faites des suggestions.

C. L'entrevue avec un ou une athlète

1. Phase 7 Crée une fiche pour ton athlète en suivant les directives.

- ❑ Cherche les informations suivantes.

Nom : ______________________	Date de naissance : ________
Sport : ______________________	Lieu de naissance : ________
Position / Spécialisation : ______________________	
Sa carrière en bref : ______________________	
Son plus grand succès : ______________________	

- ❑ Utilise des ressources et la rubrique pour vérifier ton brouillon.
- ❑ Échange ton brouillon avec ton ou ta partenaire. Comprends-tu ses idées? Fais des suggestions.
- ❑ Prépare la version finale de ta fiche.
- ❑ Ajoute une photo de l'athlète à ta fiche.

Copyright © 2006 Pearson Education Canada Inc.

2. Phase 8 Avec ton ou ta partenaire, écrivez l'introduction et la conclusion de votre reportage sportif et ajoutez des expressions interactives. N'oubliez pas d'ajouter...

- ☐ une salutation pour commencer le reportage sportif;
- ☐ une introduction pour les deux animateurs / animatrices;
- ☐ une introduction pour l'émission sportive;
- ☐ des expressions interactives;
- ☐ une présentation de l'athlète;
- ☐ une phrase pour remercier l'athlète;
- ☐ une phrase pour remercier les gens qui regardent le reportage sportif;
- ☐ une formule de politesse pour terminer le reportage sportif.

3. Avec lequel de vos deux athlètes allez-vous faire une entrevue?

____

4. Phase 9 Avec ton ou ta partenaire, préparez votre entrevue.

- ☐ Relisez la fiche de l'athlète.
- ☐ Utilisez les informations de la fiche pour composer des questions pour l'entrevue. Voici quelques suggestions pour vous aider :

- ☐ Quel(s) / quelle(s) ______________________________ ?
- ☐ Où ______________________________ ?
- ☐ Combien de ______________________________ ?
- ☐ À quel âge ______________________________ ?
- ☐ En quelle année ______________________________ ?
- ☐ Qui ______________________________ ?
- ☐ Qu'est-ce que ______________________________ ?

- ☐ Composez les réponses de l'athlète.
- ☐ Ajoutez des superlatifs dans votre entrevue.
- ☐ Ajoutez des expressions interactives dans votre entrevue. Consultez le Guide de la communication aux pages 176-177 du livre.
- ☐ Utilisez des ressources et la rubrique pour vérifier votre brouillon.
- ☐ Échangez votre brouillon avec un autre groupe et lisez son commentaire sportif. Comprenez-vous ses idées? Faites des suggestions.

 Copyright © 2006 Pearson Education Canada Inc.

Vive les sports!

A. **Comment est-ce que tu t'intéresses aux sports? Coche les phrases appropriées.**

- ❑ J'assiste à un événement sportif.
- ❑ Je regarde l'événement à la télé.
- ❑ Je lis le journal.
- ❑ Je regarde sur Internet.
- ❑ Je collectionne des souvenirs.
- ❑ Je parle de sports entre ami(e)s ou en famille.
- ❑ J'ai une affiche d'une vedette de sport.
- ❑ J'écoute le bulletin de nouvelles.

B. **Écoute les commentaires de ces jeunes. Quels sports les intéressent? Comment est-ce que ces jeunes s'intéressent aux sports? Utilise les choix de la boîte.**

Qui parle?	Quel sport?	Comment est-ce que ces jeunes s'intéressent aux sports?
1. *Inderpreet*	*le basket-ball*	*Il assiste à un match.*
2. Robert	______________	Il ______________________________.
3. Caroline	______________	Elle ____________________________.
4. Joanie	______________	Elle ____________________________.
5. Carlos	______________	Il ______________________________.
6. David	______________	Il ______________________________.

CHOIX DE SPORTS	CHOIX DE SITUATIONS
• le basket-ball	• assiste à un match
• le hockey	• collectionne des cartes
• la natation	• demande à son frère
• le patinage artistique	• lit des revues
• le surf des neiges	• regarde la télé
• le soccer	• regarde sur Internet

Découvrons nos sports préférés!

Pose des questions à tes camarades de classe pour découvrir leurs sports préférés. Cherche les réponses dans le tableau et demande à la personne de signer.

Modèles pour t'aider : - Quel est ton sport préféré? - C'est le hockey. - Super! Peux-tu signer ici?	- Aimes-tu le basket-ball? - Non, je n'aime pas le basket-ball. - Ah bon, quel est ton sport préféré? - C'est le golf. - D'accord.	- Est-ce que le ski acrobatique t'intéresse? - Oui, ça m'intéresse. - Bon, signe ici, s'il te plaît.

Son sport préféré est le tennis. Nom : ____________	Il / elle préfère la natation. Nom : ____________	Il / elle n'aime pas le ski de fond. Nom : ____________	Il / elle adore le patinage de vitesse. Nom : ____________
Il / elle aime bien la randonnée à pied. Nom : ____________	Le ski acrobatique l'intéresse beaucoup. Nom : ____________	Il / elle aime l'équitation. Nom : ____________	Le ski nautique ne l'intéresse pas du tout. Nom : ____________
Il / elle préfère la gymnastique. Nom : ____________	Il / elle aime la lutte. Nom : ____________	Il / elle adore le ping-pong. Nom : ____________	C'est le hockey qu'il / elle aime le mieux. Nom : ____________
La luge ne l'intéresse pas du tout. Nom : ____________	C'est le cyclisme qu'il / elle aime le plus. Nom : ____________	Il / elle adore le baseball. Nom : ____________	Il / elle aime la nage synchronisée. Nom : ____________
Il / elle s'intéresse à la course automobile. Nom : ____________	Le patinage de couple l'intéresse beaucoup. Nom : ____________	C'est le ski alpin qu'il / elle aime le plus. Nom : ____________	Il / elle aime le badminton. Nom : ____________
Il / elle préfère le surf des neiges. Nom : ____________	Son sport préféré est le golf. Nom : ____________	Il / elle déteste la boxe. Nom : ____________	Son sport préféré est le plongeon. Nom : ____________

 Copyright © 2006 Pearson Education Canada Inc.

Vive la compétition!

A. Où est-ce que ces événements sportifs ont eu lieu? Utilise les photos aux pages 86 et 87 du livre pour faire des prédictions.

Cet événement a eu lieu à...

A : ______________ **B :** ______________ **C :** ______________ **D :** ______________

B. Écoute les commentaires des animateurs pour obtenir des informations. Pour chaque catégorie, écris la lettre appropriée des choix au bas de la page.

Nº	Photo (encercle)	Le sport	L'événement sportif	Les équipes ou les athlètes	Les résultats
1.	A B C D				
2.	A B C D				
3.	A B C D				
4.	A B C D				

CHOIX			
sports	**événements sportifs**	**équipes et athlètes**	**résultats**
a) la course b) le hockey c) le ski acrobatique d) le soccer	a) la Coupe Stanley b) le Rallye Paris-Dakar c) la Coupe du monde de football d) les Jeux Olympiques d'hiver	a) l'Allemagne b) Andrea Mayer c) le Brésil d) les Bruins de Boston e) Deidra Dionne f) les Oilers d'Edmonton g) Ronaldo h) Wayne Gretzky	a) Elle a fini en 59 heures, 33 minutes et 54 secondes. b) Ils ont gagné quatre fois en cinq ans. c) Le Canada a gagné 17 médailles. d) Ronaldo a gagné le titre de meilleur joueur du tournoi.

C. Maintenant, relis la Partie A et vérifie tes prédictions.

Cet événement a eu lieu...

A : ______________ **B :** ______________ **C :** ______________ **D :** ______________

Copyright © 2006 Pearson Education Canada Inc.

Les résultats, S.V.P.!

A. **Avant de lire les articles aux pages 88 et 89 du livre, utilise le contexte pour déterminer le sens général des mots en caractères gras. Coche ta réponse.**

Des actions sportives	**Positive**	**Négative**
1. L'équipe d'Allemagne **a remporté** la Coupe du monde féminine.	❑	❑
2. Nia Kuenzer **a marqué** le but en or.	❑	❑
3. Elles **ont perdu** leur match de classement 3 à 1.	❑	❑
4. Émilie Mondor **a dominé** le Championnat nord-américain d'athlétisme.	❑	❑
5. Ils **ont devancé** Megan Wing et Aaron Lowe de la Colombie-Britannique.	❑	❑

B. **Maintenant, lis les articles pour connaître les résultats.**

Événements sportifs	**Résultats**
A. À la Coupe du monde de soccer féminine...	**a)** Qui a marqué le but en or? ______
	b) Quelle équipe a marqué deux buts? ______
	c) Quelle équipe a terminé au quatrième rang? ______
B. Au championnat nord-américain d'athlétisme...	**a)** Qui a fini en 15 minutes et 23 secondes? ______
	b) Qui a gagné les médailles d'argent et de bronze? ______
C. Au championnat canadien de danse sur glace...	**a)** Qui a dominé toutes les épreuves? ______
	b) Qui a fini au deuxième rang? ______
D. À la Coupe du monde de surf des neiges...	**a)** Qui a remporté la médaille d'or chez les hommes? ______
	b) Qui a remporté la médaille d'argent chez les dames? ______

 Copyright © 2006 Pearson Education Canada Inc.

Journalistes en herbe

A. **Complète les articles de journaux à l'aide de la Partie A ou B de la *Fiche reproductible 6*. Attention! Il y a des résultats qui manquent!**

1. Le tennis

Aux Internationaux de tennis d' ______________, André Agassi a perdu contre le Suédois Thomas Enqvist en trois manches de _______, ______, ______. Chez les femmes, l'Américaine Lisa Raymond a éliminé Venus Williams. Raymond, la ______ joueuse mondiale, a gagné en deux manches de _____ et ______. Williams a perdu son service ________ fois.

2. Le football

Les Eskimos d'Edmonton ont vaincu les Alouettes de Montréal ___________ au Stade Percival-Molson. Le botteur Matt Kellett a accompli un placement de _____ verges pour les Alouettes, mais Mike Pringle a marqué son ________________ touché de la saison. Avec un placement de Sean Fleming, les Eskimos ont ajouté _______ points à leur avance.

3. La boxe

La ____________________ du Championnat canadien de boxe a eu lieu à Regina en Saskatchewan. Le _________________ Benoît Gaudet a battu l'Ontarien Ibrahim Kamal dans la catégorie des ______ kilos. Il va donc affronter l'Albertain Arash Usmanee en ________________.

4. La nage synchronisée

Les Jeux Olympiques d'été ont eu lieu à Sydney en 2000. Fanny Létourneau a terminé au _________________ rang de la compétition avec sa coéquipière Claire Carver-Dias. Létourneau et sa nouvelle coéquipière Courtenay Stewart ont fini en ________________ place aux Jeux panaméricains de 2003 en ____________________________.

B. **Lis les phrases sur ta fiche à un ou une partenaire pour l'aider à compléter les informations qui manquent. Complète les articles de journaux de la Partie A.**

Copyright © 2006 Pearson Education Canada Inc.

Le passé composé

A. **Écoute bien. Est-ce que l'action est au *présent* ou au *passé composé*? Coche la bonne case.**

	1.	2.	3.	4.	5.	6.	7.	8.	9.	10.
présent										
passé composé										

B. **Écoute bien. Encercle la lettre de la phrase que tu entends.**

1. **a)** Elle a gagné la médaille de bronze. **b)** Elle n'a pas gagné la médaille de bronze.
2. **a)** Ils ont perdu le match. **b)** Ils n'ont pas perdu le match.
3. **a)** Vous avez entendu les résultats. **b)** Vous n'avez pas entendu les résultats.
4. **a)** Il a fini au sixième rang. **b)** Il n'a pas fini au sixième rang.
5. **a)** Il a établi un nouveau record. **b)** Il n'a pas établi un nouveau record.

C. **Écoute bien. Quel verbe est-ce que tu entends? Coche le groupe qui correspond au verbe que tu entends.**

	les verbes en *–er* → *é*	les verbes en *–ir* → *i*	les verbes en *–re* → *u*
1.	❑	❑	❑
2.	❑	❑	❑
3.	❑	❑	❑
4.	❑	❑	❑
5.	❑	❑	❑
6.	❑	❑	❑
7.	❑	❑	❑
8.	❑	❑	❑
9.	❑	❑	❑
10.	❑	❑	❑

 Copyright © 2006 Pearson Education Canada Inc.

Les groupes de verbes

Choisis le bon verbe des choix de la boîte pour compléter chaque phrase. Écris le verbe au *passé composé*.

1. J' _______ _______________ à un match de hockey à l'aréna hier soir.
2. Le match ______ ______________ à 16 heures après l'école.
3. Est-ce que tu ______ _________________ la compétition à la télé samedi dernier?
4. Cet athlète _______ _______________ dix points dans le match avant-hier.
5. Ils _____ _____________ la médaille d'or dans cette course aux derniers Jeux Olympiques.

CHOIX					
assister	commencer	compter	devancer	gagner	regarder

6. Cette équipe _______ _______________ à gagner tous ses matchs la saison dernière.
7. Il ______ _________________ la course hier après-midi en 1 minute 54 secondes.
8. Cet athlète ______ _________________ un record mondial l'an dernier.
9. La fin de semaine dernière, nous _______ _______________ les meilleurs résultats canadiens.
10. Les athlètes canadiens _____ _____________ de nouveaux entraîneurs.

CHOIX					
accomplir	choisir	établir	finir	réfléchir	réussir

11. Est-ce que tu _______ _______________ les résultats du match hier soir?
12. L'entraîneur ______ ______________ aux questions des journalistes après la compétition hier après-midi.
13. Les Canadiens ______ _________________ leurs adversaires dimanche dernier.
14. Ils _____ _____________ la médaille d'or dans cette course aux derniers Jeux Olympiques.
15. Notre équipe _______ _______________ le dernier match de la saison. Finalement, nous avons battu notre principal rival.

CHOIX					
attendre	battre	entendre	perdre	répondre	vaincre

Copyright © 2006 Pearson Education Canada Inc.

Des résultats étonnants

Écrivons!

Parlons!

Regarde les images et imagine les histoires. Compose deux ou trois phrases au *passé composé* pour chaque illustration. Utilise les choix de la boîte au bas de la page. Lis tes réponses à un ou une partenaire.

CHOIX

battre	finir	médaille d'or	remporter
la Coupe	gagner	participer	samedi passé
l'été dernier	hier	perdre	la semaine passée
établir	jouer	rang	le trophée

 Copyright © 2006 Pearson Education Canada Inc.

La magie du vélo

Écoute Vito parler de son expérience. Complète les pages de son journal avec les choix au bas de la page 86. Attention! Les choix peuvent être utilisés plus d'une fois.

Journal de Vito Veleau – cycliste

1ère étape

Mon aventure commence! Dans 20 jours, je vais être _______ **calme qu'**aujourd'hui!

Mon équipe est prête. Nous sommes impatients! J'__ rencontré quelques participants... On est 175 cyclistes! Cette année, la compétition va être _____ **intense que** l'année dernière. Toutes les équipes sont ______ **déterminées que** nous.

5e étape

Ouf! Aujourd'hui, le soleil est _________ **fort qu'**hier, mais je bois ________ **d'eau** que les jours précédents. Les conditions en général sont ___________ **que l'année dernière**.

Les vélos roulent bien. Notre mécanicien a _______ **de travail que** d'habitude!

Notre équipe _____ accumulé 50 points. On n'a pas encore gagné une étape mais on n'___ pas perdu espoir. On rêve de gagner le maillot jaune!

10e étape

Nous ___________ traversé les Pyrénées aujourd'hui. Les montagnes, c'est notre force. Simon ___ reçu le maillot à pois! C'est un _____________ **cycliste** en montagne ______ les autres membres de l'équipe. En général, les routes montagneuses sont __________ **faciles que** les routes plates pour notre équipe... On a **plus de patience** et **moins d'accidents** et _________ **de problèmes techniques** ______ les autres équipes! Ce soir, nous allons célébrer.

15e étape

J'___ fini en première place! Demain, je vais porter le maillot jaune mais le succès appartient à toute l'équipe. Nous ________ travaillé ensemble pour réussir. Nous avons maintenant ___________ **de points que** l'équipe *Apollo,* notre rivale, et nous avons terminé l'étape en _________ **de temps** qu'elle. Mon équipe est encore ________ **satisfaite que** moi!

20e étape

Nous voici à **Paris**! Nous n'___________ pas remporté le maillot jaune à la **fin**, mais quelle **expérience**! Nous _______ terminé avec _______ **de points que** l'année dernière. Donc nous avons battu notre record. Pauvre Marcel – il est _________ **content que** les autres membres **de** l'équipe parce qu'il a très mal aux jambes!

CHOIX

a	avons	plus
ai	meilleur	que
aussi	meilleures	
autant	moins	

 Copyright © 2006 Pearson Education Canada Inc.

Tout est relatif

A. Compare les fiches de ces trois athlètes. Complète les comparaisons et utilise les renseignements du tableau et les choix de la boîte.

Nom	Louise	Marie	Mitra
Taille	1,59 m	1,63 m	1,72 cm
Âge	15 ans	16 ans	15 ans
Expérience	6 ans	9 ans	6 ans
Performance	1 min 46 s	1 min 34 s	1 min 34 s
Épreuves	la brasse le papillon le dos	le dos la brasse	le dos la brasse
Médailles	bronze (1)	or (1) argent (2)	argent (1) bronze (1)

1. Louise est ____________ grande que Marie.
2. Mitra a ______________ expérience que Louise.
3. Mitra est ____________ jeune que Marie.
4. Mitra a fini en ______________ temps que Louise.
5. Mitra a gagné _______________ médailles que Louise.
6. Marie participe à deux épreuves. Elle est _______________ athlétique que Mitra.

CHOIX		
plus	aussi	moins
plus de / d'	autant de / d'	moins de / d'

B. Donne ton opinion! Compare les avantages et les désavantages de ces athlètes. Utilise les choix de la boîte.

1. Je pense que Louise va peut-être gagner parce qu'elle _______________________ que les autres.
2. Selon moi, _________________ ne va pas gagner parce qu'elle _______________ que les autres.
3. D'après moi, _________________ parce qu'elle _________________ que les autres.

CHOIX		
est plus / aussi / moins…	a un / une meilleur(e)…	a plus / autant / moins de
agile douée	attitude résultat	concentration médailles
déterminée souple	performance temps	expérience talent

Copyright © 2006 Pearson Education Canada Inc.

À mon avis...

Avec un ou une partenaire, lisez ces articles et complétez les commentaires des deux animateurs sportifs. Utilisez les choix de la boîte.

1. Les championnats du monde d'athlétisme ont eu lieu à Paris en France. Le Canadien Mark Boswell a remporté la médaille de bronze de saut en hauteur. Il a réussi un bond de 2,32 mètres à son troisième essai. Le Suédois Stefan Holm, médaillé d'argent, a réussi le même saut, mais à son deuxième essai.

Patrick : C'est remarquable! Penses-tu que Mark Boswell ____________________ que Stefan Holm?
Sylvie : Oui. Selon moi, il ____________________ que le Suédois.

2. La Coupe du monde de natation a eu lieu dans l'état de New York. Les Canadiennes Jennifer Carroll et Elizabeth Warden ont remporté des médailles d'or. Carroll a réussi un temps de 27,69 secondes au 50 mètres dos. Warden a remporté l'épreuve du 200 mètres dos avec un temps de 2 minutes 08,19 secondes.

Hélène : C'est super! Penses-tu que les Canadiennes ____________________ que les autres athlètes?
Noah : Oui! Carroll et Warden ____________________ que les autres.

3. Un match de la saison normale de basket-ball a eu lieu à Milwaukee hier soir. Les Bucks de Milwaukee ont défait les Raptors de Toronto 98 à 86. Vince Carter a réussi seulement quatre paniers en 12 tentatives. Desmond Mason a compté 20 points pour les Bucks. Ils ont égalé leur meilleure performance de la saison.

Hugo : C'est dommage. Penses-tu que les Raptors ____________________ que les Bucks?
Katherine : Non! Ils ____________________ que d'habitude.

CHOIX		
est plus / aussi / moins…	a un / une meilleur(e)…	a plus / autant / moins de
agile — doué(e)	attitude — résultat	concentration — points
déterminé(e) — fort(e)	performance — temps	médailles — talent

 Copyright © 2006 Pearson Education Canada Inc.

Rencontrons des athlètes!

Lis les profils d'athlètes aux pages 96 à 98 du livre. Ensuite, choisis les trois profils qui t'intéressent le plus et remplis une fiche pour chaque athlète.

Nom : ______________________ Date de naissance : ______________

Sport : ______________________ Lieu de naissance : ______________

Position / Spécialisation : ______________________________

Sa carrière en bref : ______________________________

____

____

Son plus grand succès : ______________________________

Nom : ______________________ Date de naissance : ______________

Sport : ______________________ Lieu de naissance : ______________

Position / Spécialisation : ______________________________

Sa carrière en bref : ______________________________

____

____

Son plus grand succès : ______________________________

Nom : ______________________ Date de naissance : ______________

Sport : ______________________ Lieu de naissance : ______________

Position / Spécialisation : ______________________________

Sa carrière en bref : ______________________________

____

____

Son plus grand succès : ______________________________

Vedettes du sport

A. **Écoute ces jeunes décrire leurs athlètes préféré(e)s et expliquer leur choix. Pour chaque catégorie, écris la lettre appropriée des choix au bas de la page.**

	Sport / Épreuve	Qualité	Raison
1. Sylvie Fréchette		la plus ☐	Elle a ☐
2. Nicolas Macrozonaris		le plus ☐	Il a ☐
3. Manon Rhéaume		la plus ☐	Elle a ☐
4. Alexandre Despatie		le plus ☐	Il a ☐
5. Chantal Benoît		la plus ☐	Elle a ☐

CHOIX		
sports	**qualités**	**raisons**
a) le basket-ball b) la course de 100 mètres c) le hockey d) la nage synchronisée e) le plongeon	a) courageux / courageuse b) déterminé(e) c) doué(e) d) énergique e) fort(e)	a) établi un nouveau record en 2000. b) joué dans la Ligue nationale de hockey. c) remporté la médaille d'or en solo aux Jeux Olympiques de Barcelone. d) gagné la médaille d'or aux Jeux du Commonwealth. e) remporté la médaille d'or aux Jeux paralympiques en 2000.

B. **Maintenant, regarde tes choix de l'activité de la page 89. Choisis un ou une de ces athlètes et explique à un ou une partenaire pourquoi tu l'aimes le plus. Ajoute des détails comme ont fait les jeunes de la Partie A.**

 Copyright © 2006 Pearson Education Canada Inc.

Devant le micro

A. Dans quel ordre est-ce qu'on utilise ces expressions dans un reportage sportif? Mets-les dans le bon ordre (1, 2 ou 3) et regarde la vidéo pour vérifier tes réponses.

__________________ Merci d'avoir été là.

__________________ Bonne journée à notre antenne!

__________________ Bonjour, mesdames et messieurs.

B. Regarde la vidéo de nouveau et encercle les bons détails.

1. Qui?

Mélanie Turgeon est une athlète...

a) ontarienne. **b)** québécoise. **c)** manitobaine.

2. Quoi?

Elle a gagné...

a) le championnat du monde. **b)** le championnat canadien. **c)** les Jeux Olympiques.

3. Où?

La compétition a eu lieu à...

a) Montréal, au Québec. **b)** St. Moritz, en Suisse. **c)** Nagano, au Japon.

4. Quel prix?

Mélanie a remporté...

a) un trophée. **b)** une coupe. **c)** une médaille d'or.

5. Quelle épreuve?

Son épreuve est...

a) le ski acro – les bosses. **b)** le ski alpin - la descente. **c)** le ski alpin – le slalom.

À l'antenne!

A. **Complète le reportage sportif. Choisis les expressions des choix de la boîte pour compléter le dialogue suivant.**

Cécile : ______________________________________!

Jean-Paul : Oui, et ________________ notre programme, *Nouvelles sportives.*

Cécile : ________________________, et à côté de moi, Jean-Paul Duvall. Ce soir, nous avons les résultats les plus récents du surf des neiges.

Jean-Paul : La Coupe du monde a lieu présentement à Maribor. Le Canadien Jasey-Jay Anderson a terminé deuxième en slalom géant parallèle, l'épreuve la plus impressionnante, selon les spectateurs! À vous, Cécile.

Cécile : ____________________. Et maintenant, _________________ aux sports régionaux. L'école Champlain s'est classée première en surf des neiges. C'est le meilleur résultat pour cette équipe et en plus, ce sont les plus jeunes athlètes de la compétition! Quel succès!

Jean-Paul : Oui, Cécile. Alors, c'est tout pour ce soir, mesdames et messieurs. ________ ______________________________________!

Cécile : _________________________!

CHOIX	
À demain	Merci d'avoir été à l'antenne
bienvenue à	Merci, Jean-Paul
Bonsoir, chers téléspectateurs	passons
Ici Cécile Richard	

B. **Avec un ou une partenaire, lisez le dialogue à voix haute.**

Copyright © 2006 Pearson Education Canada Inc.

Le superlatif

A. Encercle le nom dans chaque phrase. Ensuite, complète les phrases avec la bonne forme du superlatif des choix de la boîte.

Exemple : Selon moi, le cylisme est *le meilleur* sport.

1. ________________ compétition sportive a eu lieu en Grèce Antique.

2. Ce sont ________________________ performances de sa carrière.

3. La médaille d'or ________________________ souvenir de sa carrière.

4. À 14 ans, il est ________________________ athlète à remporter ces championnats.

5. D'après moi, ________________________ équipe de l'histoire du hockey.

CHOIX		
le plus beau	le plus jeune	la meilleure
le plus grand	~~le meilleur~~	les meilleures
		La plus vieille

B. Encercle le nom dans chaque phrase. Ensuite, complète les phrases avec la bonne forme du superlatif des choix de la boîte.

Exemple : Le Tour de France est la course *la plus compétitive* du monde.

1. La Coupe Stanley est le trophée ____________________ du hockey.

2. D'après moi, les gymnastes sont les ________________________.

3. Les skieuses ____________________ gagnent la compétition.

4. Je pense que la Formule 1 est le sport ________________________.

5. Le soccer attire les spectateurs ________________________.

CHOIX		
~~la plus compétitive~~	le plus dangereux	le plus prestigieux
la plus créative	les plus dévoués	les plus souples
		les plus talentueuses

)onne ton opinion!

A. Réponds aux questions suivantes pour ton sport. Ne montre pas tes réponses à ton ou ta partenaire.

1. Quel est l'événement sportif **le plus intéressant**?

____

2. Qui est l'athlète **le / la plus doué(e)**?

____

3. Quelle est **la meilleure** équipe?

____

4. Quels sont les résultats **les plus extraordinaires**?

____

5. Dans l'histoire de ce sport, quels sont les noms **les plus célèbres**?

____

6. Quel est le prix **le plus prestigieux**?

____

B. Ensuite, avec ton ou ta partenaire, posez les questions et répondez à tour de rôle. Combien de fois êtes-vous d'accord? Remplissez le tableau pour voir.

Question	Nous sommes d'accord	Nous ne sommes pas d'accord
1.		
2.		
3.		
4.		
5.		
6.		

Total : ______________ ______________

Même les experts ont des opinions différentes!

 Copyright © 2006 Pearson Education Canada Inc.

Après le projet final : Mon auto-évaluation

A. Réfléchis à ton projet final. Complète les phrases suivantes.

Comme participant(e)...	**Comme spectateur ou spectatrice...**
1. Être animateur ou animatrice, c'est... **a)** intéressant. **b)** difficile. **c)** stressant.	**1.** Les reportages sportifs sont... **a)** intéressants. **b)** instructifs. **c)** ennuyeux.
2. Pendant mon reportage, j'ai réussi à parler sans lire... **a)** beaucoup. **b)** un peu. **c)** pas du tout.	**2.** J'ai apprécié le reportage sportif de ____________________ parce que / qu' ______________________________.
3. Notre reportage sportif est un succès... **a)** moyen. **b)** respectable. **c)** énorme.	**3.** Une information intéressante est... ______________________________ ______________________________.
4. J'ai préféré... **a)** le bulletin de nouvelles. **b)** les commentaires sportifs. **c)** l'entrevue.	**4.** Mes notes ont été utiles pour le jeu de *Défi sportif!*... **a)** beaucoup. **b)** un peu. **c)** pas du tout.
5. Mes questions préparées pour le jeu de *Défi sportif!* ont été... **a)** très utiles. **b)** assez utiles. **c)** pas très utiles.	**5.** Ma question préférée est... ______________________________ ______________________________.

À la fin de l'unité…

A. Maintenant, je peux…

	très bien	bien	avec un peu de difficulté	avec difficulté
• exprimer mes préférences sur les sports.	❑	❑	❑	❑
• donner des résultats sportifs.	❑	❑	❑	❑
• comparer les athlètes et les résultats.	❑	❑	❑	❑
• donner mon opinion sur les événements sportifs.	❑	❑	❑	❑
• poser des questions pour découvrir de l'information sur les athlètes.	❑	❑	❑	❑
• nommer des athlètes francophones.	❑	❑	❑	❑

B. Dans cette unité…

a) j'ai appris : ____________________

____

b) j'ai beaucoup aimé : ____________________

____

c) je n'ai pas aimé : ____________________

____

C. Voici deux situations où je peux utiliser mes nouvelles connaissances et stratégies :

- ____________________
- ____________________

 Copyright © 2006 Pearson Education Canada Inc.

Unité 5 : Musique-mania!

Feuille de route

Phase 1

1. a) Quel rôle est-ce que la musique joue dans ta vie : très grand, grand, assez grand, petit?

___

b) Nomme les activités que tu fais en écoutant de la musique.

___

Phase 2

2. a) Quels styles de musique est-ce que tu écoutes? (Identifie au moins deux styles.)

___

b) Selon toi, quel style de musique est le meilleur?

___

c) Quels éléments de mode sont les plus typiques pour ce style de musique?

___

Phase 3

3. a) Quels artistes ou groupes est-ce que tu aimes le plus dans ce style?

___

b) Quels sont les éléments les plus typiques de ce style de musique? (Exemples : les instruments, les influences, le rythme, les paroles des chansons)

___

___

Phase 4

4. À l'aide des informations des Phases 1 à 3, écris l'introduction de ton projet final. Utilise le superlatif.

___

___

___

___

___

___

5. Prépare tes aides visuelles. Collectionne des photos de l'artiste ou du groupe et de son style de mode. Fais une liste de superlatifs qui décrit ton artiste ou groupe.

Copyright © 2006 Pearson Education Canada Inc.

Phase 5

6. a) Comment s'appelle l'artiste ou le groupe et la chanson que tu aimes le plus?

Artiste / Groupe : ______________________ Chanson : __________________________

b) Pour quelles raisons aimes-tu cette chanson? Pour t'aider, réfère-toi aux pages 108 à 110 du carnet.

____

____

____

Phase 6 (Optionnel)

7. Quand tu écoutes cette chanson, comment est-ce que tu te sens? Pour t'aider, réfère-toi à la page 111 du carnet.

____

____

____

Phase 7

8. Utilise les informations des Phases 5 et 6 pour expliquer pourquoi tu aimes cette chanson. Pour éviter la répétition, utilise *le, la, l'* ou *les* dans tes commentaires. Pour t'aider, réfère-toi aux pages 112 et 113 du carnet.

____

____

____

____

9. Organise la mise en page de ton aide visuelle. Utilise cette liste pour créer ton aide visuelle.

Sur mon aide visuelle, il y a :

- ❑ le nom de mon artiste ou groupe;
- ❑ le nom de la chanson;
- ❑ quelques photos de l'artiste ou du groupe;
- ❑ quelques éléments de mode qui représentent le style de musique;
- ❑ trois ou quatre phrases au superlatif qui décrivent l'artiste ou le groupe, la chanson ou le style de musique.

 Copyright © 2006 Pearson Education Canada Inc.

Phase 8

10. Utilise les catégories ci-dessous pour noter des informations intéressantes et biographiques sur ton artiste ou groupe. Pour t'aider, réfère-toi aux pages 124 et 125 du livre et aux pages 114 et 115 du carnet.

Origines (date(s) / lieu(x) de naissance) : ______________________________

____

Début (comment il / elle est devenu(e) populaire) : ______________________

____

____

À noter : ____

____

____

____

____

Phase 9

11. a) Écris le brouillon de la biographie. Utilise les informations de la Phase 8. Échange ton brouillon avec un ou une partenaire. Comprends-tu ses idées? Fais des corrections. Vérifie le passé composé.

b) Regarde les informations que tu as sur ton artiste ou groupe. Choisis deux ou trois détails de ton artiste ou groupe pour écrire la conclusion de ta présentation.

Phase 10

12. Avec un ou une partenaire, répète ta présentation. Utilise cette liste pour vérifier ta présentation.

Selon mon ou ma partenaire…

- ❑ Je parle assez fort et clairement.
- ❑ Je varie l'intonation et le ton de ma voix.
- ❑ J'utilise des gestes.
- ❑ Je regarde l'auditoire. Je ne lis pas mes notes.
- ❑ J'utilise bien mon aide visuelle.
- ❑ Je suis bien préparé(e).
- ❑ Suggestion : ______________________________________

La musique dans ma vie

A. Regarde les images aux pages 108 et 109 du livre. Dans la première colonne du tableau, associe chaque image avec une activité.

Image	La musique joue un rôle…	Ordre de fréquence
1.	• dans les matchs de sport.	
2.	• quand on passe du temps avec des amis.	
3.	• dans les pièces de théâtre à l'école.	
4.	• dans les films ou les vidéos.	
5.	• quand on fait des devoirs.	
6.	• dans un groupe musical.	
7.	Autre activité : ____________________	

B. Y a-t-il une activité que tu fais qui n'est pas dans le tableau? Ajoute-la dans la deuxième colonne.

C. Dans la troixième colonne, classe par ordre de fréquence les activités que tu fais le plus souvent en écoutant de la musique.

1 ◄——————————————————► **7**

une activité que tu fais souvent — **une activité que tu fais rarement**

 Copyright © 2006 Pearson Education Canada Inc.

Un sondage musical

A. Complète la phrase suivante.

Dans ma vie, je fais des activités où la musique joue un grand rôle. Pour moi, la musique est importante…

1. ____.
2. ____.
3. ____.

B. Discute de tes réponses de la Partie A avec deux partenaires. Ensuite, notez les similarités et les différences de vos réponses.

Similarités	Différences
____________________	____________________
____________________	____________________
____________________	____________________

C. Remplis le diagramme avec les réponses de ta classe.

1. Dans les matchs de sport																														
2. Quand on passe du temps avec des amis																														
3. Dans les pièces de théâtre à l'école																														
4. Dans les films ou les vidéos																														
5. Quand on fait des devoirs																														
6. Dans un groupe musical																														
7. Autre activité : ___________																														
					5					10					15					20					25					30

Copyright © 2006 Pearson Education Canada Inc.

La musique rock

Lisons! Écrivons! Parlons!

A. **Lis l'article *L'histoire de la musique rock'n'roll* aux pages 112 et 113 du livre. Écris sur les cordes de la guitare les noms des artistes et des styles de musique qui ont créé la musique rock'n'roll.**

B. **Avec un ou une partenaire, relisez l'article pour trouver les réponses aux questions suivantes.**

1. Qui sont les deux artistes qui ont eu une grande influence sur la musique rock'n'roll?

____

2. Qui a écrit des chansons sur des thèmes chers aux adolescents?

____

3. Qui a mélangé les styles de musique pour créer son propre style de rock'n'roll?

____

4. Comment décrit-on le style de mode des jeunes hommes dans les années 50?

____

5. Comment décrit-on le style de mode des jeunes filles dans les années 50?

____

 Copyright © 2006 Pearson Education Canada Inc.

La musique et la mode

VOCABULAIRE

A. **Utilise les choix de la boîte pour identifier les éléments de mode des illustrations 1 et 2. Identifie le style de musique qui correspond à chaque illustration.**

B. **Pour le numéro 3, choisis un style de musique et fais un dessin. Identifie les éléments de mode les plus typiques de ton choix.**

1.

Style de musique : ______________________

____
____
____
____

2.

Style de musique : ______________________

____
____
____
____

3.

Style de musique : ______________________

____
____
____
____

CHOIX		
Cheveux	**Vêtements**	**Accessoires**
• bouclés • courts • crépus • décoiffés • en queue de cheval • gominés • longs • style afro • tressés	• un blouson de cuir • une chemise • un jean ample • un jean déchiré • un jean serré • des sandales • un grand t-shirt • un t-shirt serré • une veste	• des boucles d'oreilles • des bracelets • une casquette • un collier • un gros collier • un sac à main • des tatouages

C. **Présente ton dessin à un ou une partenaire. Peut-il ou elle identifier le style de musique que ton dessin représente? Ensuite, changez de rôle.**

Copyright © 2006 Pearson Education Canada Inc.

Les styles de musique

A. **Lis la colonne A avec les préférences musicales des jeunes. Dans la colonne B, associe chaque jeune à un disque compact aux pages 114 et 115 du livre. Utilise les choix de la boîte.**

B. **Écoute les jeunes parler de leurs préférences musicales et vérifie tes prédictions dans la colonne C.**

C. **Écoute les jeunes de nouveau. Dans la colonne D, identifie pourquoi ils aiment cette musique. Utilise les choix de la boîte.**

A. Styles de musique	B. Prédiction	C. Vérification	D. Éléments préférés
1. Pedro • monde			
2. Nicole • folk-rock et pop			
3. Athena • danse ou pop			
4. Marc • hip hop			

CHOIX	
Disques compacts	**Éléments préférés**
• *La force de comprendre*, Dubmatique • *La vie qui danse*, Gabrielle Destroismaisons • *One step forward,* Les Nubians • *Sahra*, Khaled	• la batterie • c'est le style le plus original • la guitare basse • les instruments exotiques • la mélodie • le rythme • le talent du chanteur / de la chanteuse • les paroles

 Copyright © 2006 Pearson Education Canada Inc.

À chacun son goût!

A. Choisis un ou une partenaire qui aime un style de musique différent de toi. À tour de rôle, complétez les phrases suivantes avec les choix de la boîte.

1. J'aime la musique ____________________ *(style)*. Selon moi, c'est la musique la plus ____________________ *(adjectif)*.

2. J'aime ____________________ *(élément)* et ____________________ *(élément)*.

3. Je trouve mon style de musique ____________________ *(adjectif)*.

CHOIX			
Adjectifs		**Éléments**	
• calmant(e) • classique • énergique • expressif / expressive • fort(e)	• moderne • original(e) • populaire • rythmé(e) • unique	• la batterie • la guitare électrique / basse / acoustique • le piano / le clavier • autre : ____________________	• le rythme • le synthétiseur • la trompette • la voix

B. Avec ton ou ta partenaire, comparez vos préférences musicales dans le diagramme de Venn. Écrivez vos points communs au centre du diagramme. Présentez vos résultats à la classe.

Nom : ____________________

Style de musique : ____________________

En commun :

Nom : ____________________

Style de musique : ____________________

Copyright © 2006 Pearson Education Canada Inc.

Le superlatif

A. Encercle le nom dans chaque phrase. (Attention : le nom se trouve devant le tiret.) Ensuite, complète les phrases avec la bonne forme du superlatif. Utilise les choix de la boîte.

Exemple : Je pense que le punk est la (musique) *la plus rebelle* des années 70 et 80.

1. L'instrument ______________________ dans ce style, c'est le synthétiseur.

2. Pour notre classe de danse, nous choisissons la musique ______________________.

3. Je trouve que les musiciens ______________________ écrivent leurs chansons aussi.

4. À ton avis, quel est le groupe ______________________ cette année?

5. Quand je me sens stressé(e), j'écoute la musique ______________________.

CHOIX		
le plus branché	le plus important	la plus rythmée
la plus calmante	~~la plus rebelle~~	les plus sérieux

B. Encercle le nom dans chaque phrase. (Attention : le nom se trouve après le tiret.) Ensuite, complète les phrases avec la bonne forme du superlatif. Utilise les choix de la boîte.

Exemple : Son dernier album est *le plus grand* (succès) de sa carrière.

1. C'est la chanteuse principale parce qu'elle a ______________________ voix.

2. ______________________ artistes de l'année gagnent un *Grammy*.

3. ______________________ membre du groupe est le bassiste.

4. ______________________ différence entre ces styles, c'est le rythme.

5. À mon avis, c'est ______________________ chanson de cet album.

CHOIX		
la plus belle	~~le plus grand~~	la meilleure
la plus grande	le plus jeune	les meilleurs

 Copyright © 2006 Pearson Education Canada Inc.

À mon avis...

A. Complète le dialogue suivant avec la bonne forme de l'adjectif au superlatif. Ensuite, lis le dialogue à voix haute avec un ou une partenaire.

Élève 1 : À mon avis, ____ ____________________ (bon) chanson, c'est **J'veux d'la musique** par **Les Nubians**. C'est la chanson ____ plus ____________________ (énergique) de **leur récent album**.

Élève 2 : J'aime cette chanson, mais ce n'est pas ____ ____________________ (bon) chanson de ce groupe. **Les Nubians** est peut-être **le groupe** ____ plus ____________________ (célèbre), mais je préfère **Les Cowboys Fringants**. Je trouve que la musique **folk-rock** est la musique ____ plus ____________________ (rythmé).

Élève 1 : Oui, je comprends. Souvent, les chansons **folk-rock** ont ____ ____________________ (bon) **paroles**. Je pense que **Les Cowboys Fringants** est **le groupe** ____ plus ____________________ (intéressant) de ce style. Je trouve que **ce sont les chanteurs** ____ plus ____________________ (talentueux).

Élève 2 : Tu aimes la musique **pop**, n'est-ce pas? Selon toi, qui est **la chanteuse** ____ plus ____________________ (talentueux)? Est-ce que tu aimes **Gabrielle Destroismaisons**?

Élève 1 : Je l'aime bien, mais je préfère **les groupes pop**, parce que j'aime **les harmonies**.

Élève 2 : Ça, c'est un point de vue intéressant. Eh bien, chaque personne a sa propre idée de la musique ____ plus ____________________ (agréable)!

B. Avec ton ou ta partenaire, récrivez le dialogue de la Partie A sur une feuille de papier et remplacez les mots en caractères gras. Utilisez la musique et les descriptions de votre choix. Pratiquez le dialogue avant de le présenter à la classe.

Mes chansons préférées

A. Identifie les raisons pour lesquelles on aime une chanson en particulier. Utilise les choix de la boîte. Associe chaque raison avec une catégorie du tableau.

1. L'artiste ou le groupe	2. La musique	3. Les paroles
________	________	________
________	________	________
________	________	________
________	________	________
________	________	________

CHOIX

l'attitude
l'énergie
l'harmonie
les instruments
le mélange
la mélodie
le message
la poésie
le rythme
le talent du musicien / du chanteur
la voix
autre : ________

B. L'émission *Musique-mania!* veut créer un palmarès de chansons préférées. Un V.J. demande aux jeunes de nommer leurs chansons préférées. Écoute leurs choix. Identifie le nom de l'artiste et le nom de la chanson que chaque jeune mentionne.

	Nom de l'artiste	Nom de la chanson
Anne-Marie		
Stefan		
Naveen		
Jared		
CHOIX	• Dubmatique • Gabrielle Destroismaisons • Khaled • Les Nubians	• *Aïcha* • *J'veux d'la musique* • *Jamais cesser d'y croire* • *Suivre l'étoile*

 Copyright © 2006 Pearson Education Canada Inc.

C. Pourquoi est-ce ces jeunes aiment leurs chansons préférées? Qu'est-ce qu'ils font quand ils les écoutent?

Écoute l'émission *Musique-mania!* de nouveau et complète les phrases suivantes. Utilise les choix de la boîte.

1. Anne-Marie aime ______________________________ de sa chanson préférée. Anne-Marie écoute cette chanson quand elle ______________________________.

2. Stefan aime______________________________ de sa chanson préférée. Stefan écoute cette chanson pendant qu'il ____.

3. Naveen aime______________________________ de sa chanson préférée. Quand Naveen écoute cette chanson, elle ______________________________.

4. Jared aime______________________________ de sa chanson préférée. Jared écoute cette chanson quand il ______________________________.

CHOIX	
Pourquoi?	**Quand?**
• les influences arabes	• a envie de danser
• le message encourageant	• fait ses devoirs
• les paroles	• se prépare pour un match de basket-ball
• le rythme énergique	• veut se relaxer

On exprime ses préférences

A. Écoute les quatre chansons à l'aide des paroles. Que penses-tu des chansons? Remplis le diagramme. Pour t'aider, utilise les choix de la boîte.

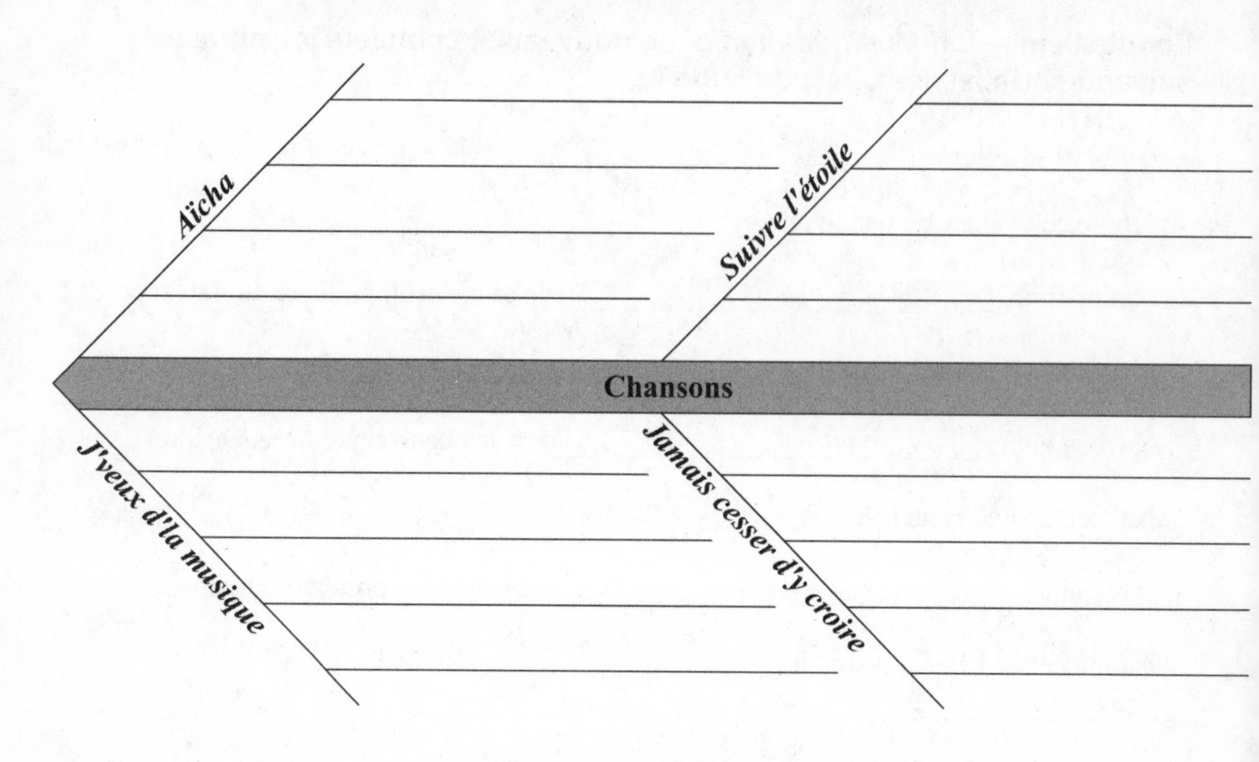

CHOIX	
une attitude positive	un message encourageant
une belle mélodie	une musique qui inspire
une belle voix	des paroles intéressantes
une bonne énergie	un rythme dynamique
un chanteur / une chanteuse unique	un rythme mémorable
un effet relaxant	une variété d'instruments

B. À l'aide du diagramme, partage tes impressions avec ton groupe. Quelle chanson est-ce que tout le groupe aime? Pour quelles raisons est-ce que le groupe l'aime? Présentez vos opinions à la classe.

Tous les membres de mon groupe aiment la chanson ______________________.

Nous l'aimons parce que, selon nous, la chanson a ______________________

____

____.

 Copyright © 2006 Pearson Education Canada Inc.

La musique et les émotions

A. Regarde la vidéo. Associe chaque phrase qui décrit une émotion à une personne de la vidéo.

	Éric	Maya	Teena
1. Je me sens plus énergique.	❑	❑	❑
2. La musique m'aide à me sentir calme.	❑	❑	❑
3. Je me sens triste.	❑	❑	❑
4. Je me sens heureuse mais en même temps triste.	❑	❑	❑

B. Associe chaque genre de film à un instrument de musique.

	le piano	le violon	la trompette
1. les films d'amour	❑	❑	❑
2. les films d'action	❑	❑	❑
3. les films d'horreur	❑	❑	❑

C. Vrai ou faux? Encercle la bonne réponse.

1. Maya aime les films d'amour.	**vrai**	**faux**
2. Dans les films, on choisit la musique pour évoquer les émotions.	**vrai**	**faux**
3. Éric aime les films d'action.	**vrai**	**faux**
4. D'après Mme Moussouni, la musique de *Jaws* est joyeuse.	**vrai**	**faux**
5. La musique aide aussi à identifier la période de temps d'un film.	**vrai**	**faux**

Copyright © 2006 Pearson Education Canada Inc.

Quel pronom?

A. Écoute les phrases suivantes. Est-ce que tu entends le pronom objet direct *l'* ou *les*? Encercle la bonne réponse.

1.	l'	les	**4.**	l'	les
2.	l'	les	**5.**	l'	les
3.	l'	les	**6.**	l'	les

B. Écoute les phrases suivantes. Est-ce que tu entends le pronom objet direct *le*, *la* ou *l'*? Encercle la bonne réponse.

1.	le	la	l'	**4.**	le	la	l'
2.	le	la	l'	**5.**	le	la	l'
3.	le	la	l'	**6.**	le	la	l'

C. Souligne l'objet direct dans chaque question. Ensuite, réponds à la question. Utilise les choix de la boîte.

1. Est-ce qu'il préfère le groupe Led Zeppelin? ____________________

2. Est-ce que Noah préfère cette musique? ____________________

3. Est-ce qu'elle préfère ses chansons? ____________________

4. Est-ce que Gina écoute cet album? ____________________

5. Est-ce que Brian écoute cette chanson? ____________________

6. Est-ce que Jon écoute ces artistes? ____________________

CHOIX		
Oui, elle **l'**écoute.	Oui, il **l'**écoute.	Oui, il **les** écoute.
Oui, elle **les** préfère.	Oui, il **la** préfère.	Oui, il **le** préfère.

D. Mets les réponses de la Partie C à la forme négative. Attention au placement de *ne* et *pas*! Tu peux utiliser un stylo d'une autre couleur pour écrire le *ne* et *pas*.

1. *Non,* ____________________. **4.** *Non,* ____________________.

2. *Non,* ____________________. **5.** *Non,* ____________________.

3. *Non,* ____________________. **6.** *Non,* ____________________.

 Copyright © 2006 Pearson Education Canada Inc.

Évitons la répétition!

A. Souligne l'objet direct dans les questions ci-dessous. Ensuite, réponds aux questions en utilisant les pronoms objets directs *le*, *la*, *l'* ou *les*. Attention aux réponses à la forme négative.

1. Écoutes-tu la musique de Shania Twain? ______________________________
2. Est-ce que ta mère aime la musique pop? ______________________________
3. Aimes-tu les paroles de la chanson *J'veux d'la musique*? ______________________________
4. Est-ce que ton père aime les Beatles? ______________________________
5. Collectionnes-tu la musique rhythm and blues? ______________________________
6. Trouves-tu la musique rap agréable? ______________________________

B. Une sœur et un frère discutent de quelle musique écouter dans la voiture. Complète le dialogue avec le bon pronom objet direct.

Abby : Écoutons le CD **Coup de foudre!**

Émile : Non, je ne _____ aime plus parce que tu _____ écoutes tous les jours!

Abby : Mais, je _____ aime beaucoup…

Émile : Je comprends, mais maintenant je _____ trouve ennuyeux. Écoutons **L'amour est mort**. C'est un bon choix pour le voyage.

Abby : Je ne suis pas d'accord. Je _____ aime bien mais cette musique a trop d'énergie. Cette musique ne convient pas quand on doit rester tranquille. Écoutons **Dommage!**

Émile : D'accord, mais tu sais bien que maman _____ adore. Elle va chanter toutes les chansons. Pourquoi pas le CD **J'n'sais plus**?

Abby : Hmm… Oui, d'accord. Je _____ trouve un peu triste mais je _____ aime.

Émile : Parfait! Mais promets-moi que tu ne vas pas chanter. D'accord?

C. Avec un ou une partenaire, remplacez les mots en caractères gras dans le dialogue de la Partie B avec vos choix. Pratiquez et ensuite, présentez le dialogue à la classe.

Copyright © 2006 Pearson Education Canada Inc.

Faisons connaissance avec...

A. Indique les informations qui, selon toi, sont importantes dans une biographie d'un(e) artiste ou d'un groupe. Utilise les choix de la boîte. Ajoute d'autres catégories si tu veux.

Quand je lis une biographie, je cherche les informations suivantes sur l'artiste ou le groupe :

______________________ ______________________

______________________ ______________________

______________________ ______________________

______________________ ______________________

CHOIX

- âge(s) (date(s) de naissance)
- début
- lieu(x) de naissance
- opinions et valeurs
- origines
- premier succès
- prix ou trophées
- tournées et concerts importants
- vie(s) personnelle(s)
- autre : ______________________

B. Lis les biographies aux pages 124 et 125 du livre. As-tu trouvé les informations qui t'intéressent le plus?

C. Relis les biographies et complète les deux tableaux. Pour la colonne A, réfère-toi aux choix de la Partie A. Complète la colonne B avec les informations des biographies dans le livre.

Dubmatique	
A. Catégorie	**B. Informations biographiques**
Lieux de naissance	*- Disoul est né au Cameroun, O.TMC est né au Sénégal et Dj Choice est né à Montréal.*
Premier succès	
Début	
	- Ils pensent que le hip hop doit offrir un message positif : l'amour, la paix et l'unité. *- Leurs chansons parlent du respect de la femme, des aînés, des origines et des valeurs.*

 Copyright © 2006 Pearson Education Canada Inc.

Gabrielle Destroismaisons	
A. Catégorie	**B. Informations biographiques**
Âge (date de naissance)	
	- Elle a suivi des cours de piano, de danse et de théâtre. *- À l'âge de 14 ans, elle a décidé de poursuivre une carrière en musique.* *- Elle est devenue chanteuse professionnelle en 1999.*
Premier succès	
Opinions et valeurs	
	- Elle est allée en Afghanistan pour faire une tournée de six concerts.
Prix ou trophées	

D. Lis les renseignements sur les Félix à la page 130 du livre. Que penses-tu des trophées Félix? Quelle opinion suivante représente le mieux ton point de vue?

a) Les trophées ont de la valeur. Les gagnants sont les plus talentueux.

b) Les trophées n'ont pas de valeur. Les gagnants sont les plus populaires et pas nécessairement les plus talentueux.

E. Trouve un ou une partenaire qui partage ton opinion. Ensemble, pensez à un exemple qui démontre votre point de vue. Présentez cet exemple à la classe.

Au passé

A. **Écoute bien. Est-ce que l'action est au *présent* ou au *passé composé*? Coche la bonne case.**

	1.	2.	3.	4.	5.	6.	7.	8.	9.	10.
• *présent*										
• *passé composé*										

B. **Écoute bien. Est-ce que le verbe est conjugué avec *avoir* ou *être*? Coche la bonne case.**

Le passé composé	1.	2.	3.	4.	5.	6.	7.	8.	9.	10.
• *avoir*										
• *être*										

C. **Utilise les choix de la boîte pour associer le bon participe passé à son infinitif. Ensuite, encercle les verbes qui se conjuguent avec *être*.**

1. nager ____________________

2. arriver ____________________

3. aller ____________________

4. réussir ____________________

5. devenir ____________________

6. naître ____________________

7. deviner ____________________

8. revenir ____________________

9. vendre ____________________

10. venir ____________________

CHOIX				
allé	devenu	nagé	réussi	vendu
arrivé	deviné	né	revenu	venu

 Copyright © 2006 Pearson Education Canada Inc.

Des souvenirs musicaux

A. Complète les phrases avec la bonne forme du verbe auxiliaire *être*.

1. Tu _______ allé au concert?

2. Nala _________ devenue une guitariste renommée.

3. Vous __________ venus avec Marcus.

4. Jackie et Marcella __________ allées aux leçons de musique.

5. Nous ____________ devenus des fans d'Elvis.

B. Complète les phrases suivantes avec les choix de la boîte. Vérifie le sens et l'accord pour faire ton choix.

1. Les membres de ce groupe ______*sont nés*______ dans trois pays différents.

2. Elle ______________________ chanteuse professionnelle à l'âge de 20 ans.

3. En 2002, ils __________________ à notre ville pour donner un concert et en 2003,

ils ______________________ pour donner trois concerts!

4. Mon frère et moi, nous ______________________ au *Rock and Roll Hall of Fame.*

5. Ma chanteuse préférée ______________________ en 1981.

CHOIX		
est devenue	sommes allés	sont revenus
est née	~~sont nés~~	sont venus

C. Lis les phrases suivantes. Ensuite, fais une entrevue avec quelqu'un qui est allé à un concert. Récris les phrases dans tes notes. Remplace les mots en caractères gras pour raconter son souvenir du concert. Ajoute un détail intéressant.

1. Ma mère est devenue fanatique **du groupe Bee Gees** à l'âge de **17 ans**.

2. Elle est allée à **leur** concert **à New York**.

3. Elle est allée avec **cinq amies**.

4. Le groupe a chanté **Night Fever**, la chanson préférée de **ma mère**.

5. ____.

Copyright © 2006 Pearson Education Canada Inc.

Après le projet final : Mon auto-évaluation

A. Pense à ta présentation. Complète les phrases avec les choix de la boîte.

1. Je fais des progrès. Pendant ma présentation, j'ai réussi à…

____

____

2. Pour faire plus de progrès la prochaine fois, je vais essayer de / d'…

____

____

CHOIX

- bien prononcer.
- regarder l'auditoire.
- répondre aux questions.
- parler assez fort et clairement.
- parler seulement en français.
- utiliser des aides audio et visuelles.
- utiliser de nouveaux mots et de nouvelles expressions.
- utiliser des gestes.
- varier l'intonation et le ton de ma voix.

B. Pense aux présentations de tes camarades de classe. Complète les phrases avec les choix de la boîte.

Pendant les présentations de mes camarades de classe, j'ai réussi à…

____

____

CHOIX

- apprécier des styles de musique différents.
- bien noter mes impressions.
- comprendre les présentations.
- écouter attentivement.
- poser des questions.
- respecter leurs efforts.

C. Pense à l'activité en groupes de créer un palmarès. Pour chaque phrase, choisis un adverbe : *toujours*, *souvent*, *parfois*, *rarement*.

1. J'ai réussi à comprendre les membres de mon groupe. ______________

2. J'ai réussi à exprimer mon opinion. ______________

3. J'ai réussi à exprimer un désaccord de façon positive. ______________

4. J'ai réussi à proposer des chansons pour le palmarès. ______________

 Copyright © 2006 Pearson Education Canada Inc.

À la fin de l'unité...

A. Maintenant, je peux...

	très bien ●	bien ◕	avec un peu de difficulté ◑	avec difficulté ◔
• exprimer mes préférences musicales.	❑	❑	❑	❑
• donner mon opinion sur les styles de musique et les artistes.	❑	❑	❑	❑
• comparer les styles de musique et les artistes.	❑	❑	❑	❑
• exprimer un accord ou un désaccord de façon positive.	❑	❑	❑	❑
• parler des événements du passé.	❑	❑	❑	❑

B. Dans cette unité...

a) j'ai appris : ______________________________

____

b) j'ai beaucoup aimé : ______________________________

____

c) je n'ai pas aimé : ______________________________

____

C. Voici deux situations où je peux utiliser mes nouvelles connaissances et stratégies :

- ______________________________
- ______________________________

Copyright © 2006 Pearson Education Canada Inc.

Unité 6 : Action jeunesse **Feuille de route**

Phase 1

1. Complète les phrases suivantes.

a) Les trois problèmes humanitaires qui me concernent le plus sont…

- ❑ le manque d'eau potable
- ❑ la maladie
- ❑ le conflit
- ❑ les sans-abri
- ❑ la faim
- ❑ l'exclusion

b) Les membres de mon groupe sont ________________, ________________ et moi.

c) Le problème humanitaire qui nous concerne le plus est :

________________________________.

Phases 2-3

2. Trouve et recherche des organisations humanitaires qui traitent du problème que ton groupe a choisi. Note des faits sur ces organisations. Ensuite, partage les détails avec les membres de ton groupe.

	Organisation : *Habitat pour l'Humanité*	**Organisation :** ____________	**Organisation :** ____________
Mission :	*Construire des maisons pour les familles dans le besoin.*		
Fondateur(s) / Fondatrice(s) :	*Linda et Millard Fuller*		
Année de fondation :	*1976*		
Pays d'origine :	*États-Unis*		
Fait(s) intéressant(s) :	*Elle a construit plus de 175 000 maisons.*		

 Copyright © 2006 Pearson Education Canada Inc.

Phase 3

3. a) Note trois collectes de fonds qui t'intéressent.

________________ ________________ ________________

b) En groupes, discutez des collectes de fonds et choisissez celle que vous allez organiser.

____

Phase 4

4. En groupes, préparez la première partie de votre exposé. Utilisez les détails que vous avez notés aux numéros 1, 2 et 3.

Phase 5

5. En groupes, planifiez les détails de votre collecte de fonds. Utilisez les choix de la boîte pour indiquer l'endroit.

a) Notre collecte de fonds va avoir lieu le ____ (jour) ________ (mois) de ________ (heure) à ________ (heure)

________________ (endroit).

CHOIX D'ENDROITS		
au gymnase.	dans la salle de classe.	à l'auditorium.
à la cafétéria.	dans le couloir.	autre endroit :
en plein air.	à la bibliothèque.	______________.

b) Pour organiser cette collecte de fonds, quelles tâches est-ce que vous allez accomplir…

avant la collecte de fonds?	pendant la collecte de fonds?	après la collecte de fonds?
☐ ________	☐ ________	☐ ________
________	________	________
☐ ________	☐ ________	☐ ________
________	________	________
☐ ________	☐ ________	☐ ________
________	________	________

c) Qui va accomplir chaque tâche? Écrivez la première lettre des noms des membres de votre groupe dans la boîte à côté de chaque tâche de la Partie 5 b). Écrivez la lettre B à côté des tâches que les bénévoles vont accomplir.

Copyright © 2006 Pearson Education Canada Inc.

Phase 7

6. **En groupes, préparez la deuxième partie de votre exposé. Utilisez les détails que vous avez notés au numéro 5 a).**

7. **Seul(e), prépare la troisième partie de l'exposé. Décris les tâches que tu vas accomplir pour la collecte de fonds. Réfère-toi au numéro 5 b).**

8. **En groupes, décrivez les tâches que les bénévoles vont accomplir. Référez-vous au numéro 5 b).**

Phase 8

9. **Prépare ton affiche. Tu peux inclure les détails suivants :**

- ❑ la sorte de collecte de fonds;
- ❑ la date, l'endroit et l'heure;
- ❑ le problème humanitaire;
- ❑ le nom et le logo de l'organisation;
- ❑ la mission de l'organisation;
- ❑ l'objectif financier;
- ❑ le(s) prix / le(s) frais;
- ❑ une image qui inspire.

10. a) Fais l'évaluation du plan d'action de ton groupe.

Catégorie	**Évaluation** * à améliorer ** bien *** excellent	**Description**	**Commentaires / Suggestions**
le budget : • le prix demandé			
l'esprit d'équipe : • les tâches			
l'esprit d'équipe : • l'équipe			
la publicité : • les affiches			
la force d'attraction : • la collecte de fonds			

b) En groupes, faites les changements nécessaires à votre plan.

Phase 9

11. **En groupes, préparez la dernière partie de votre exposé. Référez-vous au numéro 10 et au modèle du projet final sur Fiche reproductible 9.**

 Copyright © 2006 Pearson Education Canada Inc.

Au secours!

VOCABULAIRE

A. Écris le nom du besoin essentiel qui correspond à chaque illustration. Utilise les choix de la boîte.

1.

____

2.

____

3.

____

4.

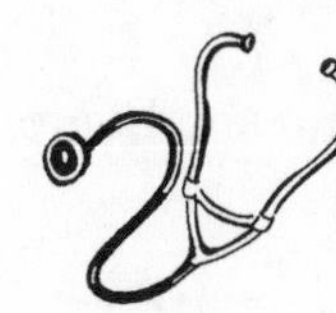

____

5.

____

6.

____

CHOIX		
l'abri	l'alimentation	la santé
l'acceptation	l'eau	la sécurité

B. Écris le nom du problème humanitaire qui correspond à l'absence de chaque besoin essentiel. Utilise les choix de la boîte.

1. l'absence de santé

____

2. l'absence d'abri

____

3. l'absence d'eau

____

4. l'absence d'acceptation

____

5. l'absence de sécurité

____

6. l'absence d'alimentation

____

CHOIX	
le problème de l'exclusion	le problème des sans-abri
le problème de la faim	le problème du conflit
le problème de la maladie	le problème du manque d'eau potable

Copyright © 2006 Pearson Education Canada Inc.

Organisations humanitaires

A. Regarde les images et les logos aux pages 138 et 139 du livre. De quel problème humanitaire est-ce que chaque organisation traite? Ensuite, lis les articles pour vérifier tes prédictions.

À Chacun son Everest! L'Arche Clowns sans frontières

1. ____________________ 2. ____________________ 3. ____________________

B. Lis les articles de nouveau. Complète les informations pour chaque organisation.

1. *À Chacun son Everest!*

Mission : ______________________________

Fondateur(s) / Fondatrice(s) : ______________________________

Année de fondation : ______________________________

Pays d'origine : ______________________________

2. *L'Arche*

Mission : ______________________________

Fondateur(s) / Fondatrice(s) : ______________________________

Année de fondation : ______________________________

Pays d'origine : ______________________________

3. *Clowns sans frontières*

Mission : ______________________________

Fondateur(s) / Fondatrice(s) : ______________________________

Année de fondation : ______________________________

Pays d'origine : ______________________________

 Copyright © 2006 Pearson Education Canada Inc.

Donnez-vous la main!

A. Écoute la conversation d'Amal et ses amis une première fois pour associer chaque organisation humanitaire à sa mission. Utilise les choix de la boîte.

Cette organisation a pour mission de / d'...

____ **1.** aider des jeunes qui ont des difficultés.

____ **2.** protéger les droits de la personne.

____ **3.** construire des maisons pour les familles dans le besoin.

____ **4.** aider des enfants malades à réaliser leur rêve.

CHOIX	
a) Amnistie internationale	**c)** Habitat pour l'Humanité
b) Fondation Rêves d'Enfants	**d)** Jeunesse, J'écoute

B. Écoute la conversation de nouveau et associe chaque description à une organisation de la Partie A. Ensuite, compare tes réponses avec celles d'un ou d'une partenaire.

____ **1.** Cette organisation a permis à une jeune fille et à sa famille de visiter Disneyland.

____ **2.** Cette organisation a fait une étude sur le problème de l'intimidation à l'école.

____ **3.** Cette organisation a construit plus de 175 000 maisons dans différents pays.

____ **4.** Cette organisation internationale a reçu le prix Nobel de la paix en 1977.

____ **5.** Cette organisation a été fondée en 1985 par Linda Dozoretz aux États-Unis.

____ **6.** Cette organisation a pris racine au Canada en 1985.

____ **7.** Cette organisation a offert un appui à des jeunes originaires de plus de 3000 communautés.

____ **8.** Les membres de cette organisation ont écrit des lettres afin de libérer des gens emprisonnés injustement.

C. Amal s'intéresse aux problèmes humanitaires internationaux. Quelle organisation penses-tu qu'il va choisir?

____

Action jeunesse

A. **Regarde les images aux pages 140 et 141 du livre. À quelle sorte de collecte de fonds est-ce que chaque personne a participé? Écoute des élèves parler des bénévoles pour confirmer tes prédictions. Utilise les choix de la boîte.**

1. Ryan Hreljac : ____________________
2. Kathleen McKay : ____________________
3. Gabrielle Reed : ____________________
4. Martin Longchamps : ____________________

CHOIX

une danse	un discours
un dîner	un match de hockey

B. **Écoute les élèves de nouveau et complète les descriptions suivantes. Utilise les choix de la boîte.**

1. Nom : Ryan Hreljac
Compétence : *Il sait* ____________________
Champ d'intérêt : *Il est concerné par* ____________________
Organisation humanitaire : ____________________

2. Nom : Kathleen McKay
Compétence : *Elle sait* ____________________
Champ d'intérêt : *Elle aime* ____________________
Organisation : ____________________

3. Nom : Gabrielle Reed
Compétence : *Elle sait* ____________________
Champ d'intérêt : *Elle s'intéresse au / aux* ____________________
Organisation humanitaire : ____________________

4. Nom : Martin Longchamps
Compétence : *Il sait* ____________________
Champ d'intérêt : *Il aime* ____________________
Organisation humanitaire : ____________________

CHOIX

Compétences
- diriger une équipe
- exprimer son point de vue
- faire la cuisine
- organiser des événements

Champs d'intérêt
- les activités sportives
- le bien-être des enfants
- travailler avec les jeunes
- le manque d'eau potable

Organisations humanitaires
- Fondation Ryan's Well
- Leucan
- Manitoba First Nation Youth Council
- un orphelinat en Thaïlande

 Copyright © 2006 Pearson Education Canada Inc.

On a changé les choses!

A. Dans chaque phrase, regarde le verbe souligné et indique son infinitif. Ensuite, encercle les verbes irréguliers.

Passé composé	Infinitif
Exemple : Médecins Sans Frontières a <u>été</u> fondée en 1971.	*être*
1. La Fondation Canadienne Rêves d'Enfants a <u>pris</u> racine au Canada en 1983.	______
2. Ils ont <u>répondu</u> aux besoins des sans-abri.	______
3. Ryan a <u>réussi</u> à créer plus de 120 puits en Afrique.	______
4. L'organisation a <u>construit</u> des maisons pour les familles dans le besoin.	______
5. Nous avons <u>appris</u> que les jeunes ont changé les choses.	______
6. Nous avons <u>décidé</u> de parler du problème de la faim.	______
7. Elle a <u>eu</u> l'idée de traverser le Canada à bicyclette.	______
8. Le site web a <u>reçu</u> plus de 400 000 visites.	______
9. Ils ont <u>fait</u> une étude sur le problème de l'intimidation à l'école.	______

B. Complète les phrases en utilisant le verbe indiqué au passé composé.

1. Amnistie internationale ________ ________________ le prix Nobel de la paix. (recevoir)

2. Ryan Hreljac ________ ________________ du soutien financier de toute la communauté. (avoir)

3. L'organisation Jeunesse, J'écoute ________ ________________ un réseau de bénévoles partout au Canada. (construire)

4. Des enfants victimes de la guerre ________ ________________ à sourire de nouveau grâce à l'organisation Clowns sans frontières. (apprendre)

5. Ils ________ ________________ une grande différence dans la vie des victimes de la guerre. (faire)

Copyright © 2006 Pearson Education Canada Inc.

Inspirez-vous!

A. Complète les phrases au bas de la page pour décrire une des organisations ci-dessous.

1. **Organisation :** La Croix-Rouge
   Mission : aider les gens touchés par des situations d'urgence
   Fondateur(s) / Fondatrice(s) : Henry Dunant
   Année de fondation : 1859
   Pays d'origine : la Suisse
   Fait intéressant : L'année passée, la Croix-Rouge canadienne a envoyé environ 100 professionnels en mission à l'étranger.

2. **Organisation :** La Fondation Terry Fox
   Mission : collecter des fonds pour la recherche contre le cancer
   Fondateur(s) / Fondatrice(s) : Betty et Rolly Fox
   Année de fondation : 1988
   Pays d'origine : le Canada
   Fait intéressant : La fondation a collecté environ 340 millions de dollars pour la recherche contre le cancer.

3. **Organisation :** Pour Apprendre Sans Faim
   Mission : fournir des repas aux enfants pour les aider à mieux apprendre
   Fondateur(s) / Fondatrice(s) : les rédacteurs et rédactrices de la revue Canadian Living
   Année de fondation : 1992
   Pays d'origine : le Canada
   Fait intéressant : L'organisation a servi des repas nutritifs aux enfants de plus de 3600 communautés.

______________________ a été fondée en __________ par
organisation — année

______________________ en / au ______________________.
fondateur(s) / fondatrice(s) — pays d'origine

______________________ a / ont eu l'idée de / d'
fondateur(s) / fondatrice(s)

____.
mission

Cette organisation a changé les choses!

____
fait intéressant

____

B. En groupes de trois, discutez de vos organisations à voix haute.

 Copyright © 2006 Pearson Education Canada Inc.

dées qui inspirent

ìur une feuille de papier, écris des histoires pour accompagner les deux bandes dessinées. Utilise les choix de la boîte ci-dessous pour écrire des phrases au passé composé.

En 2003, Nalini…

En 2004, Thomas…

CHOIX

Sujets
- Il
- Nalini
- Nalini et ses amis
- L'organisation
- Ses amis
- Thomas

Verbes
- avoir l'idée de fonder une organisation humanitaire
- faire une collecte de fonds
- offrir leur aide et leur appui
- prendre racine dans d'autres pays
- recevoir l'aide des bénévoles
- voir une annonce à la télé

Des plans d'action

A. Regarde les affiches aux pages 144 et 145 du livre. Quelle affiche attire le plus ton attention? Pourquoi? Utilise les choix de la boîte pour t'expliquer.

L'affiche _____ attire mon attention parce qu'elle est ______________________________.

CHOIX		
amusante	détaillée	motivante
attrayante	instructive	sérieuse

B. Lis les affiches. Là où c'est possible, ajoute les informations qui manquent dans chaque colonne pour compléter le tableau. Si une affiche ne donne pas une information en particulier, écris la phrase *On ne sait pas.*

Informations	Affiche			
	A. la danse	**B. la course**	**C. le concert-bénéfice**	**D. le marathon de lecture**
l'endroit	*le Shick disco*			
la date / les dates		*le 10 octobre, 2004*		
l'heure	*19 h 30*			
l'organisation humanitaire				*la Société canadienne de la sclérose en plaques*
la source de revenue : • un prix d'entrée • des frais d'inscription • des commanditaires • un prix de vente		*des commanditaires*		

 Copyright © 2006 Pearson Education Canada Inc.

Accomplir des tâches

A. Écoute la conversation entre Sophie et Madame Berlin et indique le champ d'intérêt et la compétence de Sophie. Utilise les choix de la boîte.

Sophie aime ____.

Sophie sait ____.

CHOIX

Champs d'intérêt	**Compétences**
• les arts plastiques	• être objective
• la danse	• négocier
• les mathématiques	• parler en public
• la mode	• travailler avec la technologie

B. Écoute la conversation de nouveau et coche les tâches bénévoles que Madame Berlin suggère à Sophie.

Tâches :	**avant la danse**	**pendant la danse**	**après la danse**
1. animer la danse			
2. compter l'argent			
3. contrôler le système sonore			
4. créer les affiches			
5. décorer la discothèque			
6. demander des dons de boissons et de casse-croûte			
7. écrire des lettres de remerciement			
8. juger les costumes			
9. nettoyer la discothèque			
10. vendre les billets			

C. Quelle tâche est-ce que Sophie va accomplir?

Elle va ____.

Copyright © 2006 Pearson Education Canada Inc.

Conversation en ligne

A. **Lis l'introduction à la conversation en ligne à la page 146 du livre. Dans la Colonne A du tableau, encercle la bonne lettre pour compléter les phrases.**

B. **Dans la Colonne B, coche trois questions qui indiquent les faits que tu veux apprendre. Ensuite, lis la conversation au complet et réponds aux trois questions.**

A.	B.
1. Ztella habite… **a)** en Australie. **b)** au Canada. **c)** au Cameroun.	❑ **1.** Où est-ce que Marcel va obtenir les fonds pour son projet? J'ai appris que… ____________________ ____________________
2. Elle veut… **a)** créer une école de technologie. **b)** travailler sur le site web. **c)** organiser une collecte de fonds.	❑ **2.** Est-ce que Marcel a construit une école? Oui / Non, j'ai appris que… ____________________ ____________________
3. Marcel habite… **a)** en Australie. **b)** au Canada. **c)** au Cameroun.	❑ **3.** Qui va fréquenter l'école de Marcel? J'ai appris que… ____________________ ____________________
4. Il va… **a)** aller au Canada. **b)** créer une école de technologie. **c)** s'informer sur les initiatives humanitaires.	❑ **4.** Pourquoi est-ce que Marcel veut créer cette école? J'ai appris que… ____________________ ____________________
	❑ **5.** Est-ce que Ztella va demander de l'aide de ses amis? Oui / Non, j'ai appris que… ____________________ ____________________

 Copyright © 2006 Pearson Education Canada Inc.

La technologie au service des jeunes

A. Relis l'article à la page 146 du livre. Numérote en ordre les actions que Marcel et son équipe vont accomplir.

Ils vont…

- ☐ adapter les ordinateurs aux besoins des Camerounais.
- [5] utiliser la technologie pour aider les jeunes.
- ☐ utiliser Internet pour chercher d'autres donateurs.
- ☐ entraîner des professeurs sur l'ordinateur.
- ☐ sélectionner des élèves.

B. Coche trois actions que Ztella, à ton avis, va accomplir après la conversation en ligne. Partage ton opinion avec un ou une partenaire.

Elle va probablement…

- ☐ utiliser Internet pour faire des recherches.
- ☐ envoyer des courriels pour informer ses amis.
- ☐ utiliser l'ordinateur pour préparer une collecte de fonds.
- ☐ envoyer des ordinateurs à Marcel.
- ☐ utiliser l'ordinateur pour écrire un plan d'action.
- ☐ autre : ______________________________.

C. En groupes, identifiez comment vous allez utiliser la technologie dans votre projet final. Cochez vos choix.

Nous allons utiliser l'ordinateur pour…	Nous allons utiliser Internet pour…
☐ créer nos affiches.	☐ communiquer avec les membres de notre groupe.
☐ écrire notre plan.	☐ contacter des organisations.
☐ préparer un exposé.	☐ faire des recherches.
☐ autre possibilité : ______________________.	☐ autre possibilité : ______________________.

Agissons!

A. Écris la bonne forme du verbe *aller* au présent pour compléter les phrases.

1. Céline ____________________ expliquer les détails de la collecte de fonds.
2. Nous ____________________ parler du problème du conflit.
3. Je ____________________ compter l'argent après la vente de livres.
4. Vous n' ____________________ pas vendre les billets.
5. Les groupes ____________________ jouer gratuitement au concert-bénéfice.
6. Notre collecte de fonds ____________________ avoir lieu le 10 juin de 20 h 00 à 22 h 00.
7. On ____________________ donner de l'espoir aux enfants victimes de la guerre.

B. Utilise les choix de la boîte pour compléter chaque phrase. Écris le verbe au futur proche.

1. Nous ____________ ____________________ un marathon de lecture.
2. Julien ____________ ____________________ la permission d'utiliser le gymnase.
3. Est-ce que tu ____________ ____________________ des affiches sur l'ordinateur?
4. Je ____________ ____________________ des lettres de remerciement aux commanditaires.
5. Jean-Luc ____________ ____________________ des boissons et des casse-croûte pendant la danse.
6. Sophie et Marcel aiment parler en public, alors ils ____________ ____________________ le tournoi de basket-ball.
7. Après le dîner-théâtre, est-ce que vous ____________ ____________________ l'auditorium?
8. Annie aime travailler avec la technologie, alors elle ____________ ____________________ le système sonore.

CHOIX

animer	demander	organiser
contrôler	écrire	vendre
créer	nettoyer	

 Copyright © 2006 Pearson Education Canada Inc.

Tout le monde peut contribuer!

A. Lis les descriptions des élèves qui aident à organiser un dîner-théâtre pour collecter des fonds.

Nom : Nazima **Compétences :** dessiner, faire des mathématiques **Champ d'intérêt :** le théâtre	**Nom :** Josef **Compétences :** écrire, parler en public **Champ d'intérêt :** la cuisine	**Nom :** Karine **Compétence :** résoudre des problèmes **Champs d'intérêt :** la technologie, la mode

B. Choisis trois tâches que chaque élève va probablement accomplir. Écris la première lettre de leurs noms dans la boîte à côté de chaque tâche. Attention! Il va avoir des tâches qui restent.

Avant le dîner-théâtre :	Pendant le dîner-théâtre :	Après le dîner-théâtre :
[*N*] créer le décor	[ ] ramasser les billets	[ ] nettoyer le gymnase
[ ] demander des dons d'ingrédients, d'assiettes et de tasses	[ ] animer l'événement	[*N*] compter l'argent
[ ] préparer les repas	[ ] contrôler le système sonore	[ ] écrire des lettres de remerciement
[ ] préparer les costumes	[*N*] jouer un rôle dans la pièce de théâtre	[ ] suggérer comment améliorer les collectes de fonds à l'avenir

C. Lis la description des tâches de Nazima. Ensuite, sur une feuille de papier, écris des paragraphes sur les tâches de Josef et de Karine.

Nazima sait *dessiner*, alors elle va probablement *créer le décor* avant le dîner-théâtre. Elle aime *le théâtre*, alors elle va probablement *jouer un rôle dans la pièce de théâtre*. Elle peut bien *faire des mathématiques*, alors elle va probablement *compter l'argent*.

Copyright © 2006 Pearson Education Canada Inc.

Pour réussir une collecte de fonds…

A. **Regarde les images aux pages 150 et 151 du livre. Dans la colonne 1, coche ta prédiction qui décrit chaque image. Ensuite, regarde la vidéo et coche la description utilisée par la coordonnatrice d'événements dans la colonne 2. Es-tu d'accord?**

	Mes réponses	
Images	**1. Avant la vidéo**	**2. Après la vidéo**
A Le prix est… – profitable mais raisonnable. – raisonnable mais peu profitable. – trop élevé et peu profitable.	❑ ❑ ❑	❑ ❑ ❑
B L'équipe est… – stressée et peu enthousiaste. – enthousiaste mais trop petite. – stressée et désorganisée.	❑ ❑ ❑	❑ ❑ ❑
C L'affiche est… – attrayante mais peu informative. – détaillée mais ennuyeuse. – détaillée et attrayante.	❑ ❑ ❑	❑ ❑ ❑
D La collecte de fonds va être… – amusante et valable. – valable mais ennuyeuse. – non valable et ennuyeuse.	❑ ❑ ❑	❑ ❑ ❑

B. **Regarde la vidéo de nouveau et encercle le conseil donné par la coordonnatrice.**

1. Si le budget n'est pas profitable ni raisonnable, on doit…

a) réduire les dépenses ou l'objectif financier.
b) demander plus d'argent.
c) planifier une différente collecte de fonds.

2. Pour conserver l'enthousiasme de l'équipe, les tâches doivent être…

a) difficiles mais amusantes.
b) simples ou faciles.
c) bien partagées et intéressantes.

3. On doit chercher des bénévoles…

a) dynamiques ou énergiques.
b) organisés et enthousiastes.
c) compétents ou responsables.

4. Pour trouver des bénévoles, on doit…

a) parler aux enseignants.
b) faire de la publicité.
c) contacter une agence de bénévoles.

 Copyright © 2006 Pearson Education Canada Inc.

On fait un profit!

A. **Lis les plans financiers de chaque équipe de bénévoles.**

ÉQUIPE A : **un tournoi de basket-ball**	**ÉQUIPE B :** **une vente de bonbons par télégramme**
Objectif financier : 500 \$ **Dépenses :** • 10 \$ (les affiches) • 25 \$ (100 bouteilles d'eau) • 65 \$ (les médailles) **Nombre de participants anticipés :** 60 **Source de revenu :** les frais d'inscription **Prix demandé :** 10 \$ par participant	**Objectif financier :** 500 \$ **Dépenses :** • 10 \$ (les affiches) • 50 \$ (les bonbons) • 20 \$ (les cartes) **Nombre de ventes anticipées :** 70 **Source de revenu :** le prix de la vente **Prix demandé :** 2 \$ par télégramme

B. **Quelle équipe va avoir le plus grand profit? Fais les calculs suivants.**

Équipe A	**Équipe B**
______ \$ (le prix demandé) x ______ (le nombre de participants anticipés) = ______ \$ (le total) – ______ \$ (les dépenses) --- = ______ \$ le profit	______ \$ (le prix demandé) x ______ (le nombre de ventes anticipées) = ______ \$ (le total) – ______ \$ (les dépenses) --- = ______ \$ le profit

L'Équipe ____ va avoir le plus grand profit.

C. **Complète la phrase pour chaque plan financier. Utilise les choix de la boîte.**

1. Le prix demandé par l'Équipe A est ____.

2. Le prix demandé par l'Équipe B est ____.

CHOIX	
profitable et raisonnable	trop élevé et peu profitable
raisonnable mais peu profitable	profitable mais trop élevé

Copyright © 2006 Pearson Education Canada Inc.

Des collectes de fonds bien réussies

A. Avec un ou une partenaire, complétez les phrases. Utilisez les choix de la boîte.

Objectif financier : *200 $* ***Dépenses :*** *100 $* ***Participants :*** *100* ***Prix d'entrée :*** *5 $*	***Objectif financier :*** *300 $* ***Dépenses :*** *100 $* ***Participants :*** *50* ***Prix d'entrée :*** *2 $*	***Objectif financier :*** *500 $* ***Dépenses :*** *400 $* ***Participants :*** *20* ***Prix d'entrée :*** *100 $*

1. Le prix d'entrée est raisonnable **et** ____________________.

2. Le prix d'entrée est raisonnable **mais** ____________________.

3. Est-ce que le prix d'entrée est raisonnable **ou** ____________________?

CHOIX			
profitable	raisonnable	non-profitable	trop élevé

B. Regardez les illustrations ci-dessous et complétez les phrases. Utilisez les choix de la boîte.

1. L'équipe est trop petite **et** ____________________.

2. L'équipe est trop petite **mais** ____________________.

3. Est-ce que l'équipe est trop petite **ou** ____________________?

CHOIX	
enthousiaste	peu enthousiaste
organisée	stressée

 Copyright © 2006 Pearson Education Canada Inc.

Ensemble, on va réussir!

A. Anita, Richard et Colin ont planifié un lavage de voitures et ils ont fait une évaluation de leur collecte de fonds. Lis leur évaluation.

Catégorie	Évaluation * à améliorer ** bien *** excellent(e)	Description	Commentaires / Suggestions
le budget : • le prix demandé	*	• raisonnable • peu profitable	• Nous devons réduire les dépenses pour faire un profit.
l'esprit d'équipe : • les tâches	*	• ennuyeuses • mal partagées	• Nous devons donner une tâche intéressante à chaque membre de l'équipe. • Nous devons partager les tâches également.
l'esprit d'équipe : • l'équipe	**	• enthousiaste • désorganisée	• Nous devons planifier une réunion.
la publicité : • les affiches	**	• ennuyeuses • détaillées	• Nous devons colorier les affiches.
la force d'attraction : • la collecte de fonds	***	• amusante • valable	• Nous avons choisi une collecte de fonds amusante. • Nous avons choisi une collecte de fonds valable.

B. Complète les phrases suivantes avec les conjonctions *et*, *mais* et *ou*.

1. Le prix demandé est raisonnable __________ peu profitable.
2. Les tâches sont ennuyeuses __________ mal partagées.
3. Est-ce que l'équipe est peu enthousiaste __________ désorganisée?
4. Les affiches sont ennuyeuses __________ détaillées.
5. La collecte de fonds est amusante __________ valable.

Copyright © 2006 Pearson Education Canada Inc.

Après le projet final : Mon auto-évaluation

A. Pense à ton travail de groupe. Complète les phrases avec les choix de la boîte.

1. Voici un point fort de notre travail de groupe. Nous avons réussi à…

____

2. Voici un point à développer dans notre travail de groupe. La prochaine fois, nous devons…

____

CHOIX

faire attention aux instructions.
mieux exprimer nos opinions.
parler seulement en français.
partager équitablement les rôles.
participer activement au travail de groupe.
respecter les autres dans la classe.
respecter les opinions des autres.
terminer le travail à temps.

B. Pense à ta contribution personnelle. Complète les phrases avec les choix de la boîte.

1. Pendant notre présentation, j'ai réussi à…

____

2. Pour faire plus de progrès la prochaine fois, je vais…

____

CHOIX

bien prononcer.
corriger mes erreurs.
parler assez fort et clairement.
parler seulement en français.
regarder les personnes à qui je parle.
utiliser une aide-visuelle.
varier l'intonation et le ton de ma voix.

 Copyright © 2006 Pearson Education Canada Inc.

À la fin de l'unité…

A. Maintenant, je peux…

	très bien ●	bien ◕	avec un peu de difficulté ◑	avec difficulté ◔
• parler de l'histoire des organisations humanitaires.	❑	❑	❑	❑
• parler des événements de l'avenir.	❑	❑	❑	❑
• parler des détails d'une collecte de fonds.	❑	❑	❑	❑
• lier deux idées dans une phrase.	❑	❑	❑	❑

B. Dans cette unité…

a) j'ai appris : ______________________________

____

b) j'ai beaucoup aimé : ______________________________

____

c) je n'ai pas aimé : ______________________________

____

C. Voici deux situations où je peux utiliser mes nouvelles connaissances et stratégies :

• ______________________________

• ______________________________

Copyright © 2006 Pearson Education Canada Inc.

Langue express

A. Les adjectifs démonstratifs

L'adjectif démonstratif désigne une personne, un animal, une chose ou une idée spécifique.

masculin singulier	féminin singulier	masculin pluriel	féminin pluriel
ce / cet*	**cette**	**ces**	**ces**
J'achète **ce** pantalon.	Regarde **cette** veste.	**Ces** jeans sont à la mode.	On achète **ces** chaussures!
Il porte **cet*** imperméable.	Tu aimes **cette** écharpe.	Vouz portez **ces** blousons.	Elle aime **ces** chaussettes.

* devant un nom masculin singulier qui commence par une voyelle ou un *h* muet

B. Les adjectifs possessifs

On utilise les adjectifs possessifs pour indiquer une relation de possession. Comme tous les adjectifs, l'adjectif possessif s'accorde en *genre* (masculin ou féminin) et en *nombre* (singulier ou pluriel) avec le nom qu'il accompagne.

mon	C'est **mon** livre.	**notre**	C'est **notre** cabane.
ma	C'est **ma** calculatrice.	**nos**	Ce sont **nos** résultats.
mes	Ce sont **mes** stylos.		
ton	C'est **ton** ordinateur.	**votre**	C'est **votre** équipe.
ta	C'est **ta** musique préférée.	**vos**	Ce sont **vos** tentes.
tes	Ce sont **tes** souliers.		
son	C'est **son** rapport.	**leur**	C'est **leur** guide.
sa	C'est **sa** matière préférée.	**leurs**	Ce sont **leurs** vêtements.
ses	Ce sont **ses** disques compacts.		

Attention! Devant les noms féminins singuliers qui commencent par une voyelle (*a, e, i, o, u, y*) ou un *h* muet, **ma**, **ta**, **sa** changent en **mon**, **ton**, **son**.

C'est **mon** équipe.
C'est **ton** affiche.
C'est **son** idée.

 Copyright © 2006 Pearson Education Canada Inc.

C. Les adjectifs qualificatifs

1. L'accord de l'adjectif

L'adjectif s'accorde en *genre* (masculin et féminin) et en *nombre* (singulier et pluriel) avec le nom.

masculin singulier	féminin singulier	masculin pluriel	féminin pluriel
haut	haut**e**	haut**s**	haut**es**
délavé	délavé**e**	délavé**s**	délavé**es**

Certains adjectifs sont irréguliers.

masculin singulier	féminin singulier	masculin pluriel	féminin pluriel
beau / bel*	be**lle**	beau**x**	be**lles**
nouveau / nouvel*	nouve**lle**	nouveau**x**	nouve**lles**
vieux / vieil*	vie**ille**	vieu**x**	vie**illes**
bon	bon**ne**	bon**s**	bon**nes**
long	long**ue**	long**s**	long**ues**
blanc	blan**che**	blanc**s**	blan**ches**
canadien	canadien**ne**	canadien**s**	canadien**nes**
vif	vi**ve**	vif**s**	vi**ves**

* devant un nom masculin singulier qui commence par une voyelle ou un *h* muet

2. La place de l'adjectif

En général, les adjectifs sont placés après le nom.

> une chemise *brodée* des bottes *hautes*

Certains adjectifs sont placés avant le nom.

> un *beau* chandail un *vieux* jean

Voici des adjectifs qui sont généralement placés avant le nom :

ancien / ancienne	grand / grande	nouveau / nouvel* / nouvelle
beau / bel* / belle	gros / grosse	petit / petite
bon / bonne	jeune / jeune	premier / première
dernier / dernière	mauvais / mauvaise	vieux / vieil* / vieille

* devant un nom masculin singulier qui commence par une voyelle ou un *h* muet

D. Le comparatif

1. Le comparatif des adjectifs

plus + adjectif + **que***	**aussi** + adjectif + **que**	**moins** + adjectif + **que**
Une nuit dans une cabane est **plus** reposante **qu'**une nuit sous la tente.	Un défi coopératif est **aussi** amusant **qu'**une soirée de chansons et de musique.	L'excursion de deux jours est **moins** chère **que** l'excursion de cinq jours.

***Attention!** L'adjectif **bon** change à **meilleur** au comparatif.

2. Le comparatif des noms

plus de + nom + **que**	**autant de** + nom + **que**	**moins de** + nom + **que**
Aujourd'hui, j'ai marqué **plus de** points **qu'**hier.	Cette équipe a **autant de** talent **que** nous.	Nous avons **moins de** problèmes techniques **que** les autres.

E. Le superlatif

1. Quand l'adjectif est placé devant le nom, le superlatif est placé devant le nom.

L'article et l'adjectif s'accordent avec le nom.

le plus + adjectif + n.m.*	**le plus + adjectif** + n.f.	**le plus + adjectif** + n.pl.
un **grand** succès	une **belle** chanson	de **jeunes** skieuses
C'est **le plus grand** succès **de** sa carrière.	C'est **la plus belle** chanson **de** l'album.	Ce sont **les plus jeunes** skieuses **du** groupe.

***Attention!** L'adjectif **bon** change à **meilleur** au superlatif.

2. Quand l'adjectif est placé après le nom, le superlatif est placé après le nom.

n.m. **+ le plus + adjectif**	n.f. **+ la plus + adjectif**	n.pl. **+ les plus + adjectif**
un style **branché**	de la musique **expressive**	des voix **puissantes**
C'est le style **le plus branché de** cette année.	C'est la musique **la plus expressive de** nos jours.	Ce sont les voix **les plus puissantes de** la chorale.

Note : n.m. = nom masculin; **n.f.** = nom féminin; **n.pl.** = nom pluriel.

 Copyright © 2006 Pearson Education Canada Inc.

F. Les conjonctions *et*, *mais* et *ou*

Une **conjonction de coordination** est un mot qui sert à joindre deux mots ou deux groupes de mots.

Conjonction	Pour indiquer...	Exemple
et	une addition	Nous allons vendre des gâteaux **et** des biscuits. Stéphanie va vendre les billets **et** je vais compter l'argent.
mais	un contraste	La collecte de fonds va être simple **mais** amusante. J'aime jouer au hockey **mais** je préfère jouer au soccer.
ou	une alternative	Je vais chanter **ou** danser au concert-bénéfice. On peut organiser une collecte de fonds **ou** on peut devenir bénévole.

G. Les prépositions

1. Les prépositions et les noms

Les prépositions *à*, *de*, *avec*, *sans* et *en* associées à des noms jouent le même rôle qu'un adjectif qualificatif.

Des adjectifs qualificatifs :		Des prépositions suivies de noms :	
Samir porte...		Mireille porte...	
un pantalon...	extensible bleu foncé blanchi	un pantalon...	**de** sport **à** taille basse **en** denim
et une chemise...	froissée bleu pâle brodée	et une chemise...	**avec** boutons **à** manches longues **sans** col

2. Les prépositions et les noms de lieu

Observe :	Exemples :	Exemples :
Devant les noms de villes	Cette marque a été fondée **à** Montréal.	Cette marque vient **de** Montréal.
Devant les noms masculins	Ce couturier travaille **au** Canada.	Ce couturier vient **du** Canada.
Devant les noms féminins	Cette vedette est née **en** France.	Cette vedette vient **de la** France.

Observe :	Exemples :	Exemples :
Devant les noms qui commencent par une voyelle ou un *h* muet	Cette griffe a été créée **en** Italie.	Cette griffe vient **de l'**Italie.
Devant tous les noms au pluriel	Cette mode est populaire **aux** États-Unis.	Cette mode vient **des** États-Unis.

3. Les prépositions et les modes de déplacement

On utilise la préposition ***à*** ou la préposition ***en*** devant un mode de déplacement.

a) **On utilise la préposition *à* quand on se place *sur* le mode de déplacement.**
Je voyage ***à*** velo de montagne.
Il explore les montagnes ***à*** pied.
Nous faisons une randonnée ***à*** cheval.
Ils se déplacent ***à*** skis de fond.

b) **On utilise la préposition *en* quand on se place *dans* le mode de déplacement.**
Je voyage ***en*** canot.
Nous descendons la rivière ***en*** radeau.
Vous faites une expédition ***en*** traîneau à chiens!
Mon guide peut traverser la lac ***en*** kayak.

H. Les pronoms

1. Le pronom *on*

Le pronom *on* est toujours utilisé comme sujet d'un verbe. Le pronom *on* est conjugué à la 3e personne du singulier. Le pronom *on* peut signifier :

a) **Nous**
Nous allons à l'école.
Qu'est-ce que **nous** faisons ce soir?
Quand allons-**nous** présenter notre projet?

On va à l'école.
Qu'est-ce qu'**on** fait ce soir?
Quand va-t-**on** présenter notre projet?

b) **Les gens**
Les gens peuvent visiter le musée tous les jours.
Si **les gens** travaillent, ils gagnent de l'argent.
Quand **les gens** vont en vacances, ils apportent leurs bagages.

On peut visiter le musée tous les jours.
Si **on** travaille, on gagne de l'argent.
Quand **on** va en vacances, on apporte ses bagages.

c) **Quelqu'un**
Quelqu'un parle dans le corridor.
Si **quelqu'un** téléphone, dis que je ne suis pas là.

On parle dans le corridor.
Si **on** téléphone, dis que je ne suis pas là.

 Copyright © 2006 Pearson Education Canada Inc.

2. L'impératif

- On utilise l'impératif des verbes pour donner des ordres, des consignes, des suggestions et des avertissements.
- Pour former l'impératif, on prend la forme du verbe au présent de *tu*, *nous* et *vous*. On emploie seulement le verbe et pas les pronoms *tu*, *nous* et *vous*.
- Pour les verbes en *–er* et le verbe *aller*, il n'y a pas de *s* à la fin du verbe pour la forme *tu*.
- Quand on veut donner un ordre, une consigne, une suggestion ou un avertissement au négatif, on met *ne / n'... pas* autour du verbe.

Consignes :	**Suggestions :**	**Avertissements :**
Dirige le projecteur sur le mur.	Buvez beaucoup d'eau.	Ne tire pas la corde!
Ouvrez le couvercle.	Pensons à l'effet sur l'environnement.	Ne nourrissez pas les animaux sauvages!

3. Le futur proche

On utilise le futur proche pour exprimer les actions et événements d'un avenir immédiat. Pour former le futur proche, on met la bonne forme de l'auxiliaire **aller** au présent devant **l'infinitif**.

À la forme négative, on met *ne / n'... pas* autour de l'auxiliaire *aller*.

Je **vais vendre** les billets.
Tu **vas être** l'animateur du concert.
Elle **va obtenir** un brevet.
On **va changer** les choses.
L'organisation **va utiliser** nos fonds pour aider les sans-abri.

Nous **allons organiser** une vente de livres.
Vous **allez parler** une langue universelle.
Ils **vont faire** un don.
Elles **vont essayer** de changer le monde.
Les sans-abri *ne* **vont** *pas* **avoir** froid pendant l'hiver.

4. Le passé composé

Le passé composé décrit une action terminée dans le passé. Le passé composé est formé de deux parties :

l'**auxiliaire** *avoir* ou *être* au présent + le **participe passé** du verbe principal
Pour former **les participes passés réguliers**, on change la fin du verbe.

Verbes en *–er*	**Verbes en *–ir***	**Verbes en *–re***
chant***er*** ➔ chant***é***	chois***ir*** ➔ chois***i***	entend***re*** ➔ entend***u***

a) Le passé composé des verbes avec l'auxiliaire *avoir*

La majorité des verbes prend l'auxiliaire *avoir* au passé composé.

chant*er*	**chois*ir***	**entend*re***
j'***ai*** chant***é***	j'***ai*** chois***i***	j'***ai*** entend***u***
tu ***as*** chant***é***	tu ***as*** chois***i***	tu ***as*** entend***u***
il / elle / on / ***a*** chant***é***	il / elle / on / ***a*** chois***i***	il / elle / on / ***a*** entend***u***
nous ***avons*** chant***é***	nous ***avons*** chois***i***	nous ***avons*** entend***u***
vous ***avez*** chant***é***	vous ***avez*** chois***i***	vous ***avez*** entend***u***
ils / elles ***ont*** chant***é***	ils / elles ***ont*** chois***i***	ils / elles ***ont*** entend***u***

On doit apprendre les participes passés irréguliers.

Le verbe à l'infinitif	**Le participe passé**	**Exemples**
apprendre	appris	Ils ***ont appris*** à vivre en communauté.
avoir	eu	Elle ***a eu*** une bonne idée!
construire	construit	On ***a construit*** un puits.
écrire	écrit	Elle ***a écrit*** une lettre de remerciement.
être	été	Ils ***ont été*** enthousiastes.
faire	fait	Il ***a fait*** une collecte de fonds.
offrir	offert	Les dentistes bénévoles ***ont offert*** leurs services.
permettre	permis	Cette collecte de fonds ***a permis*** aux jeunes défavorisés de jouer au hockey.
prendre	pris	L'Arche ***a pris*** de l'expansion partout dans le monde.
recevoir	reçu	Elle ***a reçu*** le prix Nobel.
voir	vu	Elle ***a vu*** une annonce à la télé.

 Copyright © 2006 Pearson Education Canada Inc.

b) Le passé composé des verbes avec l'auxiliaire *être*

Il existe un groupe de verbes qui prend l'auxiliaire *être* au passé composé. Voici un aide-mémoire : **dr & mrs vandertramp**.

devenir – devenu*
revenir – revenu*

monter – monté
rester – resté
sortir – sorti

venir – venu*
aller – allé
naître – né*
descendre – descendu
entrer – entré
rentrer – rentré
tomber – tombé
retourner – retourné
arriver – arrivé
mourir – mort*
partir – parti

Exemple d'un verbe conjugué avec ***être*** au passé composé :

aller
je ***suis*** all***é***(***e***)
tu ***es*** all***é***(***e***)
il ***est*** all***é***
elle ***est*** all***ée***
nous ***sommes*** all***é***(***e***)***s***
vous ***êtes*** all***é***(***e***)(***s***)
ils ***sont*** all***és***
elles ***sont*** all***ées***

*** Ces participes passés sont irréguliers.**

Avec l'auxiliaire *être*, on doit faire l'accord du **participe passé** avec le sujet du verbe, en **genre** (masculin/féminin) et en **nombre** (singulier/pluriel).

Robert Charlebois est deven***u*** célèbre. (masculin, singulier)

Céline Dion est n***ée*** au Québec. (féminin, singulier)

Les musiciens sont part***is*** du Canada. (masculin, pluriel)

Les chanteuses sont arriv***ées*** pour le concert. (féminin, pluriel)

c) Le passé composé au négatif

À la forme négative, on ajoute *ne / n'* et *pas* de chaque côté de l'auxiliaire *avoir* (ou *être*).

Je ***n'***ai ***pas*** entendu ce groupe.
Nous ***ne*** sommes ***pas*** devenus célèbres tout de suite.
Les jeunes ***n'***ont ***pas*** été découragés.

Stratégies pour m'aider

Stratégies d'écoute

- J'utilise mes expériences personnelles.
- J'utilise le contexte.
- Je fais des prédictions et je vérifie mes prédictions.
- Je cherche des mots familiers.
- Je cherche des mots-amis.
- J'écoute l'intonation et le ton de la voix.
- J'écoute une première fois pour comprendre le sens général.
- J'écoute de nouveau pour trouver des informations précises.

Stratégies pour bien parler

- J'utilise de nouveaux mots et de nouvelles expressions.
- Je fais attention à la prononciation.
- J'exprime mes idées avec des phrases simples.
- Je parle assez fort et clairement.
- Je varie l'intonation et le ton de ma voix.
- J'utilise des gestes.
- Je prépare un aide-mémoire.
- Je répète ma présentation.
- J'utilise une aide visuelle.
- Je regarde l'auditoire.
- Je me corrige si je fais des erreurs.

Stratégies d'interaction orale

- Je prends des risques. Je fais des efforts pour parler français.
- Je pose des questions quand je ne comprends pas.
- Je donne mon opinion et je respecte les opinions des autres.
- J'exprime un accord ou un désaccord de façon positive.
- Je respecte les autres dans la classe.
- Je participe activement au travail de groupe.

 Copyright © 2006 Pearson Education Canada Inc.

Stratégies pour regarder une vidéo

- J'utilise le contexte.
- Je fais des prédictions et je vérifie mes prédictions.
- Je regarde les gestes et les expressions.
- J'écoute l'intonation et le ton de la voix.
- Je regarde les images pour avoir des idées.
- Je regarde les images pour comprendre le message.

Regardons!

Stratégies de lecture

- Je lis les titres.
- Je regarde les images.
- J'identifie le contexte.
- Je cherche des mots familiers.
- Je cherche des mots-amis.
- J'identifie les mots de la même famille.
- Je comprends de nouveaux mots à l'aide du contexte.
- Je comprends le texte à l'aide de mots-clés.
- Je cherche les mots difficiles dans un dictionnaire.
- Je lis pour comprendre le sens général.
- Je relis pour trouver des informations précises.

Lisons!

Stratégies d'écriture

- J'utilise le dictionnaire et d'autres ressources.
- J'utilise de nouveaux mots et de nouvelles expressions.
- Je fais un brouillon.
- Je vérifie mon texte.
- Je demande à un ou une partenaire de vérifier mon texte.
- Je fais des corrections.
- J'écris la version finale de mon texte.

Écrivons!

Copyright © 2006 Pearson Education Canada Inc.

Guide de la communication

Je pose des questions quand je ne comprends pas.

Je ne comprends pas. Est-ce que tu peux répéter, s'il te plaît?

Est-ce que tu peux expliquer, s'il te plaît?

Que veut dire le mot…?

Est-ce que tu peux parler plus lentement, s'il te plaît?

Est-ce que tu peux parler plus fort, s'il te plaît?

Je prends des risques. Je fais des efforts pour parler français.

Comment dit-on … en français?

Je vais expliquer d'une autre façon.

Je vais donner un exemple.

C'est comme…

Voici ce que je veux dire.

Je donne mon opinion et je respecte les opinions des autres.

À mon avis,…

Selon moi,…

Je pense que…

J'ai une suggestion.

Et toi? Quelle est ton opinion?

Es-tu d'accord?

En es-tu certain(e)?

Qu'est-ce que tu veux faire?

As-tu une suggestion?

J'exprime un accord ou un désaccord de façon positive.

Absolument!

D'accord!

Tu as raison.

C'est vrai.

Ça m'est égal.

Bonne idée! / Bonne suggestion!

C'est ça!

Pourquoi pas!

Je ne sais pas.

Je ne suis pas d'accord.

Je ne partage pas ton opinion.

Peut-être.

C'est possible.

C'est vrai, mais…

Je ne pense pas que ça va fonctionner.

Que penses-tu de ce compromis?

 Copyright © 2006 Pearson Education Canada Inc.

Je respecte les autres dans la classe.

Parlons moins fort.

Parlez à voix basse, s'il vous plaît.

Écoutez, c'est le tour de … de parler.

Vous avez besoin de papier? On a plusieurs feuilles.

Avez-vous fini? Est-ce qu'on peut emprunter le marqueur noir?

Je refuse une proposition.

Non, merci.

Désolé, mais…

Merci, mais…

Hmm… Je ne pense pas.

Mon œil!

C'est dégueulasse!

C'est moche!

Je n'ai pas besoin de ça.

Ça ne m'intéresse pas.

Ce n'est pas honnête.

Pas vraiment.

Sûrement pas!

Absolument pas!

Jamais de la vie!

Pas question!

Mais non!

Pas du tout!

Mais voyons!

C'est à moi de choisir!

Je ne veux pas le faire.

Ce n'est pas bien.

Je joue à un jeu.

C'est à toi.

C'est à ton tour.

As-tu la réponse?

Peux-tu répondre?

C'est ta réponse finale?

Et toi?

On marque un point.

C'est ça.

Bravo. C'est correct.

Bon effort.

À qui le tour?

Non, ce n'est pas correct.

Non, ce n'est pas exactement ça.

C'est un point pour notre équipe.

Lexique anglais-français

adj. adjectif (*inv.* invariable)
adv. adverbe
conj. conjonction
exp. expression
inv. invariable
loc. locution
n.m. nom masculin
n.f. nom féminin
pl. pluriel
prép. préposition
pron. pronom
pron. pers. pronom personnel
v. verbe

A

accommodation *n.* l'hébergement *(n.m.)*
accompany *v.* accompagner
accomplish *v.* accomplir
accumulate *v.* accumuler
acid washed *adj.* lavé(e) à l'acide
additional *adj.* supplémentaire
advice *n.* un conseil *(n.m.)*
affected by *adj.* touché(e) par
afternoon *n.* un après-midi *(n.m.)*
alone *adj.* seul(e)
alpine skiing *n.* le ski alpin *(n.m.)*
Ancient Greece *n.* la Grèce Antique *(n.f.)*
appealing *adj.* attrayant(e)
appliance *n.* un appareil *(n.m.)*
arrow *n.* une flèche *(n.f.)*
as many/much (as) *adv.* autant de (… que)
assistance *n.* une aide *(n.f.)*
athlete *n.* un(e) athlète *(n.m.,f.)*; **athletic** *adj.* sportif, sportive
attainable *adj.* accessible
attempt *n.* une tentative *(n.f.)*
attend *v.* assister
attractive *adj.* attrayant(e)
audience *n.* un spectateur, une spectatrice *(n.m.,f.)*
available *adj.* disponible
avoid *v.* éviter

B

backpack *n.* un sac à dos *(n.m.)*
backstroke *n.* le dos *(n.m.)*
basic need *n.* un besoin essentiel *(n.m.)*
basket *n.* un panier *(n.m.)*
battery *n.* une pile *(n.f.)*
bear *n.* un ours (*n.m.*)
beat *v.* battre
beaver *n.* un castor *(n.m.)*
become *v.* devenir
believe *v.* croire
belong *v.* appartenir
benefit concert *n.* un concert-bénéfice *(n.m.)*
best *adj.* meilleur(e)
better *adj., adv.* meilleur(e) *(adj.)*; mieux *(adv.)*
bicycle racer *n.* un(e) coureur(euse) cycliste *(n.m.,f.)*
bike *n.* un vélo *(n.m.)*
birth *n.* la naissance *(n.f.)*; **to be born** *v.* naître
body *n.* le corps *(n.m.)*
boots *n.* des bottes *(n.f.pl.)*
boring *adj.* ennuyeux, ennuyeuse
boxing *n.* la boxe *(n.f.)*
braided (hair) *adj.* tressé(e) (cheveux)
brand name *n.* une marque *(n.f.)*
Brazil *n.* le Brésil *(n.m.)*
break *v.* briser
breaststroke *n.* la brasse *(n.f.)*
bright (colour) *adj.* vif, vive
bronze *n.* le bronze *(n.m.)*
brother *n.* un frère *(n.m.)*
build *v.* construire
bullying *n.* l'intimidation *(n.f.)*
butterfly (swimming stroke) *n.* le papillon *(n.m.)*
button *n.* un bouton *(n.m.)*

C

cabin *n.* une cabane *(n.f.)*
calm *adj.* tranquille
camera *n.* un appareil photo (*n.m.*)
campfire *n.* un feu de bois, un feu de camp *(n.m.)*
canoe *n.* un canot *(n.m.)*
cap (baseball) *n.* une casquette *(n.f.)*
capsize *v.* chavirer
career *n.* une carrière *(n.f.)*
(in) **case of emergency** *exp.* en cas d'urgence
celebrate *v.* célébrer
challenge *n.* un défi *(n.m.)*
championship *n.* un championnat *(n.m.)*
check *v.* vérifier
checkered *n.* à carreaux *(n.m.pl.)*
choice *n.* un choix *(n.m.)*
choir *n.* une chorale *(n.f.)*
choose *v.* choisir
clear *adj.* clair(e)
click *v.* cliquer
climb *v.* monter

 Copyright © 2006 Pearson Education Canada Inc.

clothe *v.* habiller; **clothes** *n.* un habit *(n.m.)*, des vêtements *(n.m.pl.)*; **clothing** *n.* un vêtement *(n.m.)*
collar *n.* un col *(n.m.)*
come *v.* venir; **come from** *v.* venir de
(to be) **comfortable** *v.* être à l'aise *(loc. verbale)*
comic strip *n.* une bande dessinée *(n.f.)*
comment *n.* un commentaire *(n.m.)*
commentary *n.* un commentaire *(n.m.)*
compartment *n.* un compartiment *(n.m.)*
complete *v.* compléter
complicated *adj.* compliqué(e)
computer *n.* un ordinateur *(n.m.)*
conflict *n.* un conflit *(n.m.)*
cool *adj.* branché(e)
cooperative *adj.* coopératif, coopérative
corner *n.* un coin *(n.m.)*
cost *v.* coûter; *n.* le coût *(n.m.)*
country of origin *n.* un pays d'origine *(n.m.)*
cover *n.* un couvercle *(n.m.)*
creased *adj.* froissé(e)
create *v.* créer
criterion *n.* un critère *(n.m.)*
cross *v.* traverser
cross-country skiing *n.* le ski de fond *(n.m.)*
crumpled *adj.* froissé(e)
curly (hair) *adj.* bouclé(e) (cheveux)
cut (clothing) *n.* la coupe (vêtement) *(n.f.)*
cycling *n.* le cyclisme *(n.m.)*; **cyclist** *n.* un(e) cycliste *(n.m.,f.)*

D

damage *n.* un dommage *(n.m.)*
dark (coloured) *adj.* foncé(e)
data file *n.* un fichier électronique *(n.m.)*
dead *adj.* mort(e)
deal with *v.* traiter
decade *n.* une décennie *(n.f.)*
deep *adj.* profond(e)
defeat *n.* la défaite *(n.f.)*; *v.* vaincre
dehydration *n.* la déshydratation *(n.f.)*
describe *v.* décrire
designer label *n.* une griffe *(n.f.)*
desk *n.* un pupitre *(n.m.)*
destitute *adj.* démuni(e)
determined *adj.* déterminé(e)
dial *n.* un cadran *(n.m.)*
die *v.* mourir
difficult *adj.* difficile
discover *v.* découvrir
discuss *v.* discuter
distribute *v.* distribuer
diving *n.* le plongeon *(n.m.)*
dog sled *n.* un traîneau à chiens (*n.m.*)
dominate *v.* dominer
donation *n.* un don *(n.m.)*; **donor** *n.* un donateur / une donatrice *(n.m.,f.)*
doubt *n.* un doute *(n.m.)*
download *v.* télécharger
draft *n.* un brouillon *(n.m.)*
drawing *n.* un dessin *(n.m.)*
dress *n.* une robe *(n.f.)*; *v.* s'habiller; **dressed** *adj.* habillé(e)
drinking water *n.* l'eau potable *(n.f.)*
drums *n.* la batterie *(n.f.)*
dry *adj.* sec, sèche
duck *n.* un canard *(n.m.)*
dull (boring) *adj.* ennuyeux, ennuyeuse

E

earrings *n.* des boucles d'oreilles *(n.f.pl.)*
ease of use *exp.* la facilité de fonctionnement
editor *n.* un rédacteur, une rédactrice *(n.m.,f.)*
effective *adj.* opérant(e), efficace
eldest *adj.* aîné(e)
electrical appliance *n.* un appareil électroménager *(n.m.)*
embroidered *adj.* brodé(e)
encouraging *adj.* encourageant(e)
energetic *adj.* énergique
enjoyable *adj.* agréable
enormous *adj.* énorme
enthusiastic *adj.* enthousiaste
evening *n.* une soirée *(n.f.)*
event *n.* un événement *(n.m.)*
exchange *v.* échanger
expand *v.* prendre de l'expansion
explain oneself *v.* s'expliquer
express *v.* exprimer

F

fabric *n.* un tissu *(n.m.)*
face *v.* affronter
fact *n.* un fait *(n.m.)*
faded *adj.* délavé(e)
fairly *adv.* équitablement
fall *v.* tomber; **fall** *n.* l'automne *(n.m.)*
famous *adj.* célèbre
fans (sports) *n.* les amateurs (de sports) *(n.m.pl.)*
fashion *n.* la mode *(n.f.)*; **fashion designer** *n.* un couturier, une couturière *(n.m.,f.)*; **fashion show** *n.* un défilé de mode *(n.m.)*
fauna (animals) *n.* la faune *(n.f.)*

feature *n.* un reportage *(n.m.)*
feed *v.* nourrir
feedback *n.* un retour d'information *(n.m.)*
feel *v.* sentir
field of interest *n.* un champ d'intérêt *(n.m.)*
figure skating *n.* le patinage artistique *(n.m.)*
fill out *v.* remplir
financial aid *n.* le soutien financier *(n.m.)*
financial goal *n.* un objectif financier *(n.m.)*
finish *v.* terminer
first of all *loc. adv.* d'abord
flag *n.* un drapeau *(n.m.)*
flared *adj.* évasé(e)
flat *adj.* plat(e)
float *v.* flotter
flora *n.* la flore *(n.f.)*
flower *n.* une fleur *(n.f.)*
focus (on something) *v.* faire le point *(loc. verbale)*
fold *n.* un pli *(n.m.)*
follow *v.* suivre
food *n.* la nourriture *(n.f.)*
forest *n.* la forêt *(n.f.)*
found *v.* fonder; **founded** *adj.* fondé(e); **founder** *n.* un fondateur *(n.m.)* une fondatrice *(n.f.)*
free (time) *adj.* libre (temps); *adv.* gratuitement; *v.* libérer
freestyle skiing *n.* le ski acrobatique (ski acro) *(n.m.)*
frizzy *adj.* crépu(e) (cheveux)
fun *adj.* amusant(e)
function *v.* fonctionner
fundraiser, fundraising *n.* une collecte de fonds *(n.f.)*
future *n.* l'avenir *(n.m.)*

G

game *n.* un jeu *(n.m.)*
garbage *n.* les déchets *(n.m.pl.)*
Germany *n.* l'Allemagne *(n.f.)*
get ahead (of) *v.* devancer
giant slalom (skiing) *n.* le slalom géant *(n.m.)*
gifted *adj.* doué(e)
give *v.* donner
(eye) **glasses** *n.* des lunettes *(n.f.pl.)*
glossy *adj.* lustré(e)
go ahead *v.* avancer
go out *v.* sortir
goal *n.* un but *(n.m.)*
gold *n.* l'or *(n.m.)*
goods (products) *n.* la marchandise *(n.f.)*
guess *v.* deviner
guideline *n.* une directive *(n.f.)*
gymnast *n.* un(e) gymnaste *(n.m.,f.)*; **gymnastics** *n.* la gymnastique *(n.f.)*

H

hallway *n.* un couloir *(n.m.)*
handle *n.* une poignée *(n.f.)*
headphones *n.* des écouteurs *(n.m.pl.)*
health *n.* la santé *(n.f.)*
heel *n.* un talon *(n.m.)*
height *n.* la taille *(n.f.)*
helmet *n.* un casque protecteur *(n.m.)*
help *v.* aider; *exp.* Au secours!; **help** *n.* une aide *(n.f.)*
high *adj.* élevé(e)
high jump *n.* le saut en hauteur *(n.m.)*
hike *n.* une randonnée à pied *(n.f.)*
hill *n.* une colline *(n.f.)*; **hilly** *adj.* montagneux, montagneuse
hit parade (list) *n.* un palmarès *(n.m.)*
hobby *n.* un loisir *(n.m.)*
hole *n.* un trou (dans le mécanisme) *(n.m.)*
holidays *n.* les vacances *(n.f.pl.)*
Holland *n.* les Pays-Bas *(n.m.pl.)*
home *n.* la maison *(n.f.)*
homeless person *n.* un(e) sans-abri *(n.m.,f. inv.)*
homework *n.* les devoirs *(n.m.pl.)*
hood *n.* un capuchon *(n.m.)*
hook up (computer) *v.* brancher
hope *n.* l'espoir *(n.m.)*
horseback riding *n.* l'équitation, une randonnée à cheval *(n.f.)*
host (broadcasting) *n.* un animateur, une animatrice *(n.m.,f.)*
huge *adj.* énorme
humanitarian problem *n.* un problème humanitaire *(n.m.)*

I

ice dancing *n.* la danse sur glace *(n.f.)*
ice field *n.* un champ de glace *(n.m.)*
icon *n.* une icône *(n.f.)*
identify *v.* identifier
impressive *adj.* impressionnant(e)
imprisoned *adj.* emprisonné(e)
improve *v.* améliorer
in front of *prép.* devant
in one's own way *loc. prép.* à sa façon
incorporate *v.* incorporer
indicator light *n.* une lampe témoin *(n.f.)*
ink *n.* l'encre *(n.f.)*
innovate *v.* innover
instructions *n.* des consignes (d'utilisation) *(n.f.pl.)*; **instruction**

 Copyright © 2006 Pearson Education Canada Inc.

manual *n.* un guide d'utilisation *(n.m.)*
interview *n.* une entrevue *(n.f.)*
item of clothing *n.* un vêtement *(n.m.)*

J
jacket (formal or business) *n.* un blouson *(n.m.),* une veste *(n.f.)*, un veston *(n.m.)*
jersey (soccer, track and field, cycling) *n.* un maillot *(n.m.)*
jewellery *n.* des bijoux *(n.m.pl.)*
join *v.* joindre
jump *v.* sauter

K
key *n.* une clé *(n.f.)*
keyboard *n.* un clavier *(n.m.)*
knit *n.* le tricot *(n.m.)*

L
lack *n.* un manque *(n.m.)*
large *adj.* ample
last *v.* durer; *adj.* dernier, dernière
layers (of clothing) *n.* des épaisseurs (de vêtements) (*n.f.pl.*)
lead (dance, event) *v.* animer; **lead a team** *v.* diriger une équipe
league *n.* une ligue *(n.f.)*
leather *n.* le cuir *(n.m.)*; **leather jacket** *n.* un blouson de cuir *(n.m.)*
leave *v.* partir, quitter
leg *n.* une jambe *(n.f.)*
less (…than) *adv., adj.* moins (de) *adv.*; moins (que) *adj.*
lesson *n.* une leçon *(n.f.)*
lever *n.* un levier *(n.m.)*
life *n.* la vie *(n.f.)*
liking (for) *n.* le goût *(n.m.)*
listening (to radio) *v.* à l'antenne *(loc)*; **listening audience** (of a broadcast) *n.* l'auditoire *(n.m.)*
location *n.* un lieu, un endroit *(n.m.)*
locker *n.* un casier *(n.m.)*
lodge *n.* une auberge *(n.f.)*
look *v.* regarder; **look for** *v.* chercher
lose *v.* perdre
loss *n.* une perte *(n.f.)*
loudspeaker *n.* un haut-parleur *(n.m.)*
love *n.* l'amour *(n.m.)*; **love for life** *loc.* la joie de vivre
luge (tobaggan event) *n.* la luge *(n.f.)*
lunch *n.* un dîner *(n.m.)*
lyrics *n.* les paroles *(n.f.pl.)*

M
make a decision *v.* prendre une décision
manage *v.* diriger, faire la gestion de
market test, survey, study *n.* un test de marché *(n.m.)*
meal *n.* un repas *(n.m.)*
mechanic *n.* un(e) mécanicien(ne) *(n.m.,f.)*
medal *n.* une médaille (*n.f.*)
meeting *n.* une conférence, une réunion *(n.f.)*
memory *n.* un souvenir *(n.m.)*
merit *n.* le mérite *(n.m.),* la valeur *(n.f.)*
messy (hair) *adj.* décoiffé(e) (cheveux)
Mexico *n.* le Mexique *(n.m.)*
microchip *n.* une puce électronique *(n.f.)*
mix *n.* un mélange *(n.m.)*; **mix** *v.* mélanger
moguls (ski event over humps of snow) *n.* des bosses *(n.f.pl.)*
money *n.* l'argent *(n.m.)*
monitor *n.* un écran *(n.m.)*
monkey *n.* un singe *(n.m.)*
motivating *adj.* motivant(e)
mountain *n.* une montagne *(n.f.)*; **mountainous** *adj.* montagneux, montagneuse; **mountain biking** *n.* le vélo de montagne *(n.m.)*
move forward *v.* avancer

N
necessity *n.* une nécessité *(n.f.)*
necklace *n.* un collier *(n.m.)*
need *n.* un besoin *(n.m.)*
negotiate *v.* négocier
Netherlands *n.* les Pays-Bas *(n.m.pl.)*
network *n.* un réseau *(n.m.)*
never *adv.* jamais
Nobel prize *n.* le prix Nobel *(n.m.)*
noon *n.* le midi *(n.m.)*
novel *n.* un roman *(n.m.)*
numerous *adj.* nombreux, nombreuse
nutritious *adj.* nutritif, nutritive

O
offer *v.* offrir
often *adv.* souvent
old *adj.* vieux, vieille
Olympic Games *n.* les Jeux olympiques *(n.m.pl.)*
opinion poll *n.* un sondage *(n.m.)*
organized *adj.* organisé(e)
orphanage *n.* un orphelinat *(n.m.)*
outdoors *n.* le plein air *(n.m.)*; *n.* en / de plein air *(loc. prép.)*
outfit *n.* un ensemble *(n.m.)*
overhead projector *n.* un rétroprojecteur *(n.m.)*

Copyright © 2006 Pearson Education Canada Inc.

P

package deal (holiday, excursion) *n.* un forfait *(n.m.)*
pairs skating *n.* le patinage par couple *(n.m.)*
pants (pair) *n.* un pantalon *(n.m.)*
participate *v.* participer
passionate *adj.* passionné(e)
past (the) *n.* le passé *(n.m.)*
pastime *n.* un loisir *(n.m.)*
pattern *n.* un motif *(n.m.)*
peace *n.* la paix *(n.f.)*
peak *n.* un pic *(n.m.)*
pen *n.* un stylo *(n.m.)*
pencil sharpener *n.* un taille-crayon *(n.m.)*
peregrine falcon (bird) *n.* le faucon pèlerin *(n.m.)*
perfect *adj.* parfait(e)
petroglyph *n.* un pétroglyphe (un dessin sculpté dans un rocher) *(n.m.)*
picnic *n.* un pique-nique *(n.m.)*
piece *n.* un morceau *(n.m.)*
place *n.* un lieu *(n.m.)*
planned *adj.* planifié(e)
play *v.* jouer
pleasing *adj.* agréable
pocket *n.* une poche *(n.f.)*
poetry *n.* la poésie *(n.f.)*
pointed *adj.* pointu(e); **pointy** *adj.* pointu(e)
polar fleece *n.* un molleton *(n.m.)*
polka dot *adj.* + *n.* à pois *(prép. + n.m.)*
ponytail (hair) *n.* en queue de cheval (cheveux) *exp.*
post *v.* afficher; **poster** *n.* une affiche *(n.f.)*
powerful *adj.* puissant(e)
practise *v.* répéter
prefer *v.* préférer
present *v.* présenter
press *v.* appuyer (sur)
prevent *v.* éviter
pre-washed *adj.* prélavé(e)
primarily *loc. adv.* d'abord
printed *adj.* imprimé(e); **printer** *n.* un imprimeur *(n.m.)*
prize *n.* un prix *(n.m.)*
profile *n.* un profil *(n.m.)*
projector *n.* un projecteur *(n.m.)*
promise *v.* promettre
protect *v.* protéger
proud *adj.* fier, fière
publicity *n.* la publicité *(n.f.)*
pull *v.* tirer
punch (for paper) *n.* une perforatrice *(n.f.)*
pursue *v.* poursuivre
put away *v.* ranger
put on *v.* mettre
Pyrenees (mountains) *n.* les Pyrénées *(n.f.pl.)*

R

race (car, bike, foot) *n.* une course *(n.f.)*, un rallye *(n.m.)*
raft *n.* un radeau *(n.m.)*
raise funds *v.* collecter des fonds
rally (car or motorcycle) *n.* un rallye *(n.m.)*
rank *n.* le rang *(n.m.)*
rarely *adv.* rarement
reader (computer) *n.* un lecteur *(n.m.)*
reason *n.* une raison *(n.f.)*; **reasonable** *adj.* raisonnable
rebellious *adj.* rebelle
record (sports) *n.* un record *(n.m.)*
recreational *adj.* récréatif, récréative
regional *adj.* régional(e)
rehearse *v.* répéter
relaxation *n.* la détente *(n.f.)*; **relaxed** *adj.* décontracté(e)
relay (race) *n.* un relais *(n.m.)*
renowned *adj.* renommé(e)
report *n.* un reportage *(n.m.)*
represent *v.* représenter
research *n.* la recherche *(n.f.)*
resemble *v.* ressembler à
resolve *v.* résoudre
restful *adj.* reposant(e)
result *n.* un résultat *(n.m.)*
return *v.* revenir, retourner
ribbed *adj.* côtelé(e)
right *n.* un droit *(n.m.)*
ripped *adj.* déchiré(e)
river *n.* une rivière *(n.f.)*
road *n.* la route *(n.f.)*
run (an event) *v.* diriger (un événement)
runner *n.* un coureur, une coureuse *(n.m.,f.)*

S

sad *adj.* triste
safety measures *n.* les consignes de sécurité *(n.f.pl.)*
save (money) *v.* économiser
scarf *n.* une écharpe *(n.f.)*
score *v.* marquer
screen *n.* un écran *(n.m.)*
search *v.* chercher; *n.* une recherche *(n.f.)*
season *n.* une saison *(n.f.)*
second-hand clothes store *n.* une friperie *(n.f.)*
sell *v.* vendre
serious *adj.* sérieux, sérieuse
shape *n.* la forme *(n.f.)*
share *v.* partager
shelter *n.* l'abri *(n.m.)*
shiny *adj.* lustré(e)
shirt (rugby, tennis, polo) *n.* une chemise *(n.f.)*

 Copyright © 2006 Pearson Education Canada Inc.

shoes *n.* des chaussures *(n.f.pl.)*
shop *v.* magasiner
short *adj.* court(e)
shoulder *n.* une épaule *(n.f.)*
show *n.* une émission *(n.f.)*
silver *n.* l'argent *(n.m.)*
size *n.* la taille *(n.f.)*
skater *n.* un patineur, une patineuse *(n.m.,f.)*; **skates** *n.* des patins *(n.m.pl.)*; **skating** *n.* le patinage *(n.m.)*
sketch *n.* une esquisse *(n.f.)*
skier *n.* un skieur, une skieuse *(n.m.,f.)*
skill *n.* une compétence *(n.f.)*
skirt *n.* une jupe *(n.f.)*
sleep *v.* dormir
sleeve *n.* une manche *(n.f.)*
slide *v.* glisser
smart *adj.* savant(e)
snow *n.* la neige *(n.f.)*; **snowboarding** *n.* le surf des neiges *(n.m.)*; **snowshoes** *n.* des raquettes *(n.f.pl.)*
socks *n.* des chaussettes *(n.f.pl.)*
sometimes *adv.* parfois
song *n.* une chanson *(n.f.)*
space *n.* l'espace *(n.m.)*; **space shuttle** *n.* une navette spatiale *(n.f.)*
spare time *n.* le temps libre *(n.m.)*; un loisir *(n.m.)*
speaker *n.* un haut-parleur *(n.m.)*
species *n.* une espèce *(n.f.)*
speech *n.* un discours *(n.m.)*
speed *n.* la vitesse *(n.f.)*
spelling *n.* l'orthographe *(n.m.)*
sponsor *n.* un(e) commanditaire *(n.m.,f.)*
sports-oriented *adj.* sportif, sportive
sports show (broadcast) *n.* une émission de sport *(n.f.)*
sports tournament *n.* un tournoi sportif *(n.m.)*
spring *n.* le printemps *(n.m.)*
stage (in a race) *n.* une étape *(n.f.)*
stapler *n.* une agrafeuse *(n.f.)*
star (astronomy) *n.* une étoile *(n.f.)*; **star** (celebrity) *n.* une vedette *(n.f.)*
start up *v.* (s')allumer
stay *v.* rester
stop *v.* cesser, arrêter
store *v.* ranger
story *n.* une histoire *(n.f.)*
strength *n.* la force *(n.f.)*
striped *adj.* rayé(e)
succeed *v.* réussir
suit *n.* un ensemble *(n.m.)*
summer *n.* l'été *(n.m.)*
sunburn *n.* un coup de soleil *(n.m.)*
sunscreen *n.* l'écran solaire (*n.m.*)
supper *n.* un souper *(n.m.)*
support *n.* un appui *(n.m.)*
sweater *n.* un chandail *(n.m.)*
swimming *n.* la nage, la natation *(n.f.)*; **synchronized swimming** *n.* la nage synchronisée *(n.f.)*
synthesizer *n.* un synthétiseur *(n.m.)*

T

take place *v.* avoir lieu
take root *exp.* prendre racine *(loc. v.)*
talented *adj.* doué(e), talentueux, talentueuse
target market *n.* un marché-cible *(n.m.)*
task *n.* une tâche *(n.f.)*
taste *n.* le goût *(n.m.)*
tattoo *n.* un tatouage *(n.m.)*
team *n.* une équipe *(n.f.)*; **teammate** *n.* un coéquipier *(n.m.)*, une coéquipière *(n.f.)* **team spirit** *n.* l'esprit d'équipe *(n.m.)*
teleporting *n.* la téléportation *(n.f.)*
television program *n.* une émission de télévision *(n.f.)*
tendency *n.* une tendance *(n.f.)*
tent *n.* une tente (*n.f.*)
testimonial *n.* un témoignage (*n.m.*)
thank you letter *n.* une lettre de remerciement *(n.f.)*
thanks to *exp.* grâce à
to be thirsty *v.* avoir soif
ticket *n.* un billet *(n.m.)*
tight *adj.* serré(e)
tour *n.* une tournée *(n.f.)*
tournament *n.* un tournoi *(n.m.)*
track and field *n.* l'athlétisme *(n.m.)*
trail *n.* un sentier (*n.m.*)
train *v.* s'entraîner
travel *v.* voyager
tree *n.* un arbre (*n.m.*)
trendy *adj.* branché(e)
trivial *adj.* insignifiant(e)
trophy *n.* un trophée *(n.m.)*
trumpet *n.* une trompette *(n.f.)*
try *n.* une tentative *(n.f.)*
turn off *v.* (s')éteindre
turn on *v.* (s')allumer
turn out *v.* (s')éteindre
type *v.* taper

U

unavailable *adj.* indisponible

understand *v.* comprendre
use *v.* utiliser

V
valley *n.* une vallée *(n.f.)*
value *n.* une valeur *(n.f.)*
verify *v.* vérifier
vest *n.* un maillot *(n.m.)*
view *v.* visionner
virtual (on a computer) *adj.* virtuel, virtuelle
voice *n.* une voix *(n.f.)*
volume control *n.* le réglage de volume *(n.m.)*
volunteer *n.* un(e) bénévole *(n.m.,f.)*

W
waist *n.* la taille *(n.f.)*
walk *n.* une promenade *(n.f.)*; *v.* marcher
war *n.* une guerre *(n.f.)*
warning *n.* un avertissement *(n.m.)*
washed-out *adj.* délavé(e)
washing (clothes) *n.* le lavage *(n.m.)*
waste *v.* gaspiller
watch *n.* une montre *(n.f.)*; *v.* visionner
water *n.* l'eau *(n.f.)*
water skiing *n.* le ski nautique *(n.m.)*
weakness *n.* une faiblesse *(n.f.)*
wear *v.* porter
well *n.* un puits *(n.m.)*
well-being *n.* le bien-être *(n.m.)*
wheels *n.* les roues *(n.f.pl.)*
wild *adj.* sauvage
win *v.* gagner; **winner** *n.* un(e) gagnant(e) *(n.m.,f.)*
window (store) *n.* une vitrine *(n.f.)*
winter *n.* l'hiver *(n.m.)*
wise *adj.* savant(e)
wood turtle *n.* la tortue des bois *(n.f.)*
wool *n.* la laine *(n.f.)*
work (a machine) *v.* marcher
World Cup *n.* la Coupe du monde *(n.f.)*
World Series (baseball) *n.* la Série mondiale *(n.f.)*
worn *adj.* usé(e)
(to be) worth *v.* valoir
wrestling *n.* la lutte *(n.f.)*

Y
youth *n.* un(e) jeune *(n.m.,f.)*; la jeunesse *(n.f.)*

Z
zipper *n.* une fermeture à glissière *(n.f.)*

Lexique français-anglais

A
à sa façon *loc. prép.* in one's own way
l'**abri** *n.m.* shelter
accompagner *v.* to accompany
accomplir *v.* to accomplish
un(e) **accro** *n.m.,f.* someone who is with it (fashion)
accumuler *v.* to accumulate
une **affiche** *n.f.* poster, sign; **afficher** *v.* to post
affronter *v.* to face
une **agrafeuse** *n.f.* stapler
agréable *adj.* enjoyable, pleasing
une **aide** *n.f.* assistance, help
aîné(e) *adj.* eldest
ajusté(e) *adj.* fitted
l'**alimentation** *n.f.* food
l'**Allemagne** *n.f.* Germany
s'**allumer** *v.* to turn on, to start up
les **amateurs** (de sports) *n.m.pl.* (sports) fans
améliorer *v.* to improve
l'**amour** *n.m.* love
ample *adj.* large
amusant(e) *adj.* fun
un **animateur** *n.m.*, une **animatrice** *n.f.* host; **animer** (danse, événement) *v.* to lead, to host
à l'antenne *loc.* listening (to radio)
un **appareil** *n.m.* appliance; un **appareil électroménager** *n.m.* electrical appliance; un **appareil photo** *n.m.* camera
appartenir *v.* to belong
un **appui** *n.m.* support; **appuyer sur** *v.* to press
un **après-midi** *n.m.* afternoon
un **arbre** *n.m.* tree
l'**argent** *n.m.* money, silver
assister *v.* to attend
un(e) **athlète** *n.m.,f.* athlete; l'**athlétisme** *n.m.* track and field
attrayant(e) *adj.* appealing, attractive
Au secours! *exp.* Help!
une **auberge** *n.f.* lodge
l'**auditoire** *n.m.* listening audience (to a broadcast)
autant de (… que) *adv.* as much/many (as)
l'**automne** *n.m.* fall
avancer *v.* to go ahead, to move forward
l'**avenir** *n.m.* future

 Copyright © 2006 Pearson Education Canada Inc.

n **avertissement** *n.m.* warning
n **avis** *n.m.* opinion
voir envie de *loc.* to feel like doing something
voir lieu *loc.* to take place

B

ne **bande dessinée** *n.f.* comic strip
a **batterie** *n.f.* drums
attre *v.* to beat
n(e) **bénévole** *n.m.,f.* volunteer
n **besoin** *n.m.* need; un **besoin essentiel** *n.m.* basic need
e **bien-être** *n.m.* well-being
es **bijoux** *n.m.pl.* jewellery
n **billet** *n.m.* ticket
n **blouson** *n.m.* jacket; un **blouson de cuir** *n.m.* leather jacket
n **bond** *n.m.* jump
es **bosses** *n.f.pl.* moguls (ski event over humps of snow)
es **bottes** *n.f.pl.* boots
ouclé(e) (cheveux) *adj.* curly (hair)
es **boucles d'oreilles** *n.f.pl.* earrings
n **bouton** *n.m.* button
a **boxe** *n.f.* boxing
ranché(e) *adj.* cool, trendy; **brancher** *v.* to hook up (computer)
a **brasse** *n.f.* breaststroke
e **Brésil** *n.m.* Brazil
briser *v.* to break
brodé(e) *adj.* embroidered
e **bronze** *n.m.* bronze
un **brouillon** *n.m.* draft
un **but** *n.m.* goal

C

une **cabane** *n.f.* cabin
un **cadran** *n.m.* dial
un **canard** *n.m.* duck
un **canot** *n.m.* canoe
un **capuchon** *n.m.* cap (of pen), hood (clothing)
à carreaux *n.m.pl.* checkered
une **carrière** *n.f.* career
en cas d'urgence *exp.* in case of emergency
un **casier** *n.m.* locker
un **casque protecteur** *n.m.* helmet
une **casquette** *n.f.* cap (baseball)
un **castor** *n.m.* beaver
célèbre *adj.* famous; **célébrer** *v.* to celebrate
cesser *v.* to stop
un **champ de glace** *n.m.* ice field
un **champ d'intérêt** *n.m.* field of interest
un **championnat** *n.m.* championship
un **chandail** *n.m.* sweater
une **chanson** *n.f.* song
des **chaussettes** *n.f.pl.* socks
des **chaussures** *n.f.pl.* shoes
chavirer *v.* to capsize
une **chemise** *n.f.* shirt
cher, **chère** *adj.* dear
chercher *v.* to look for, to search for
choisir *v.* to choose; un **choix** *n.m.* choice
une **chorale** *n.f.* choir
clair(e) *adj.* clear
un **clavier** *n.m.* keyboard
une **clé** *n.f.* key
cliquer *v.* to click
un **coéquipier** *n.m.*, une **coéquipière** *n.f.* teammate
un **coin** *n.m.* corner
un **col** *n.m.* collar
une **collecte de fonds** *n.f.* fundraiser, fundraising; **collecter des fonds** *v.* to raise funds
un **collier** *n.m.* necklace
une **colline** *n.f.* hill
un(e) **commanditaire** *n.m.,f.* sponsor
un **commentaire** *n.m.* commentary, comment
un **compartiment** *n.m.* section, compartment
une **compétence** *n.f.* skill
compléter *v.* to complete
compliqué(e) *adj.* complicated
comprendre *v.* to understand
un **concert-bénéfice** *n.m.* benefit concert
confirmer *v.* to check
un **conflit** *n.m.* conflict
un **conseil** *n.m.* advice
les **consignes (d'utilisation)** *n.f.pl.* instructions; les **consignes de sécurité** *n.f.pl.* safety measures
construire *v.* to build
consulter *v.* to consult
convenir *v.* to suit
coopératif, coopérative *adj.* cooperative
le **corps** *n.m.* body
côtelé(e) *adj.* ribbed
un **couloir** *n.m.* hallway
un **coup de foudre** *exp.* struck by lightning (very fast)
un **coup de soleil** *n.m.* sunburn
la **coupe** (vêtement) *n.f.* cut (clothing); la **Coupe du monde** *n.f.* World Cup
un **coureur**, une **coureuse** *n.m.,f.* runner; un(e) **coureur(euse) cycliste** *n.m.,f.* bicycle racer
une **course** *n.f.* (car, bike, foot) race; une **course de relais** *n.f.* relay race
court(e) *adj.* short

Copyright © 2006 Pearson Education Canada Inc.

le **coût** *n.m.* cost; **coûter** *v.* to cost
un **couturier**, une **couturière** *n.m.,f.* fashion designer
un **couvercle** *n.m.* cover, lid
créer *v.* to create
crépu(e) (cheveux) *adj.* frizzy
un **critère** *n.m.* criterion
croire *v.* to believe
le **cuir** *n.m.* leather
le **cyclisme** *n.m.* cycling; un(e) **cycliste** *n.m.,f.* cyclist

D

d'abord *loc. adv.* primarily, first of all
la **danse sur glace** *n.f.* ice dancing
le **début** *n.m.* beginning
une **décennie** *n.f.* decade
des **déchets** *n.m.pl.* garbage
déchiré(e) *adj.* ripped
décoiffé(e) (cheveux) *adj.* messy (hair)
décontracté(e) *adj.* relaxed
découvrir *v.* to discover
décrire *v.* to describe
la **défaite** *n.f.* defeat
un **défi** *n.m.* challenge
un **défilé de mode** *n.m.* fashion show
délavé(e) *adj.* faded, washed-out
démuni(e) *adj.* destitute
dernier, dernière *adj.* last
la **déshydratation** *n.f.* dehydration
un **dessin** *n.m.* drawing, sketch
la **détente** *n.f.* relaxation
déterminé(e) *adj.* determined
devancer *v.* to get ahead of
devant *prép.* in front of
devenir *v.* to become
deviner *v.* to guess
les **devoirs** *n.m.pl.* homework
difficile *adj.* difficult
un **dîner** *n.m.* lunch
une **directive** *n.f.* guideline
diriger *v.* to manage, to run; **diriger une équipe** *loc. v.* to lead a team
un **discours** *n.m.* speech
discuter *v.* to discuss
disponible *adj.* available
dominer *v.* to dominate
un **dommage** *n.m.* damage
un **don** *n.m.* donation; un **donateur**, une **donatrice** *(n.m.,f.)* donor; **donner** *v.* to give
dormir *v.* to sleep
le **dos** *n.m.* backstroke
doué(e) *adj.* gifted, talented
un **doute** *n.m.* doubt, uncertainty
un **drapeau** *n.m.* flag
un **droit** *n.m.* right
durer *v.* to last

E

l'**eau** *n.f.* water; l'**eau potable** *n.f.* drinking water
échanger *v.* to exchange
une **écharpe** *n.f.* scarf
économiser *v.* to save (money)
des **écouteurs** *n.m.pl.* headphones
un **écran** *n.m.* screen, monitor; l'**écran solaire** *n.m.* sunscreen
élevé(e) *adj.* high
une **émission** *n.f.* show; une **émission de sport** *n.f.* sports show (broadcast); une **émission de télévision** *n.f.* television program
emprisonné(e) *adj.* imprisoned
encourageant(e) *adj.* encouraging
l'**encre** *n.f.* ink
un **endroit** *n.m.* location
énergique *adj.* energetic
ennuyeux, ennuyeuse *adj.* boring
énorme *adj.* huge, enormous
un **ensemble** *n.m.* outfit, suit
enthousiaste *adj.* enthusiastic
s'**entraîner** *v.* to train
une **entrevue** *n.f.* interview
des **épaisseurs** (de vêtements) *n.f.pl.* layers (of clothing)
une **épaule** *n.f.* shoulder
une **épreuve** (sportive) *n.f.* (sporting) event
une **équipe** *n.f.* team
équitablement *adv.* fairly
l'**équitation** *n.f.* horseback riding
l'**espace** *n.m.* space
une **espèce** *n.f.* species
l'**espoir** *n.m.* hope
l'**esprit d'équipe** *n.m.* team spirit
une **esquisse** *n.f.* sketch
une **étape** *n.f.* stage
l'**été** *n.m.* summer
s'**éteindre** *v.* to turn off, to turn out
une **étoile** *n.f.* star (astronomy)
être à l'aise *exp.* to be comfortable (a person)
évasé(e) *adj.* flared (clothing)
un **événement** *n.m.* event
éviter *v.* to avoid, to prevent
évoquer *v.* to evoke
s'**expliquer** *v.* to explain oneself
exprimer *v.* to express

 Copyright © 2006 Pearson Education Canada Inc.

F

la **facilité de fonctionnement** *exp.* ease of use
une **faiblesse** *n.f.* weakness
faire connaissance avec *loc.* to get to know
faire le point *exp.* to focus on something, to take stock
un **fait** *n.m.* fact
le **faucon pèlerin** *n.m.* peregrine falcon (bird)
la **faune** *n.f.* fauna (animals)
une **fente** *n.f.* slot, opening
une **fermeture à glissière** *n.f.* zipper
un **feu de bois,** un **feu de camp** *n.m.* campfire
un **fichier électronique** *n.m.* data file
fier, fière *adj.* proud
une **flèche** *n.f.* arrow
une **fleur** *n.f.* flower
la **flore** *n.f.* flora
flotter *v.* to float
foncé(e) *adj.* dark (coloured)
un **fondateur, une fondatrice** *n.m.,f.* founder; **fondé(e)** *adj.* founded; **fonder** *v.* to found
une **force** *n.f.* strength
la **forêt** *n.f.* forest
un **forfait** *n.m.* package deal (holiday, excursion)
la **forme** *n.f.* shape
un **frère** *n.m.* brother
une **friperie** *n.f.* second-hand clothes store
froissé(e) *adj.* creased, crumpled

G

un(e) **gagnant(e)** *n.m.,f.* winner; **gagner** *v.* to win
gaspiller *v.* to waste
glisser *v.* to slide
gominé(e) (cheveux) *adj.* greased/slick-back (hair)
le **goût** *n.m.* taste, liking (for)
grâce à *exp.* thanks to
gratuitement *adv.* free
la **Grèce Antique** *loc.* Ancient Greece
une **griffe** *n.f.* designer label
une **guerre** *n.f.* war
un **guide d'utilisation** *n.m.* instruction manual
un(e) **gymnaste** *n.m.,f.* gymnast; la **gymnastique** *n.f.* gymnastics

H

habillé(e) *adj.* dressed; **habiller** *v.* to clothe, to dress; un **habit** *n.m.* clothes
un **haut-parleur** *n.m.* speaker, loudspeaker
l'**hébergement** *n.m.* accommodation
une **histoire** *n.f.* story
l'**hiver** *n.m.* winter

I

une **icône** *n.f.* icon, graphic symbol
impressionnant(e) *adj.* impressive
imprimé(e) *adj.* printed; un **imprimeur** *n.m.* printer
incorporer *v.* to incorporate
indisponible *adj.* unavailable
innover *v.* to innovate
insignifiant(e) *adj.* trivial
l'**intimidation** *n.f.* bullying

J

jamais *adv.* never
une **jambe** *n.f.* leg
un **jeu** *n.m.* game; des **Jeux olympiques** *n.m.pl.* Olympic Games
un(e) **jeune** *n.m.,f.* young person; la **jeunesse** *n.f.* youth
la **joie de vivre** *loc.* love for life
joindre *v.* to join
jouer *v.* to play
une **jupe** *n.f.* skirt

L

la **laine** *n.f.* wool
une **lampe témoin** *n.f.* indicator light
le **lavage** *n.m.* washing (clothes)
lavé(e) à l'acide *adj.* acid washed
une **leçon** *n.f.* lesson
un **lecteur** *n.m.* reader (computer)
une **lettre de remerciement** *n.f.* thank you letter
un **levier** *n.m.* lever
libérer *v.* to free; **libre** (temps) *adj.* free (time)
un **lieu** *n.m.* location, place
une **ligue** *n.f.* league
un **loisir** *n.m.* pastime, hobby
la **luge** *n.f.* luge (tobaggan event)
des **lunettes** *n.f.pl.* (eye) glasses
lustré(e) *adj.* glossy, shiny
la **lutte** *n.f.* wrestling

M

magasiner *v.* to shop
un **maillot** *n.m.* jersey (soccer, track and field, cycling), shirt (rugby, tennis, polo), vest
la **maison** *n.f.* home
une **manche** *n.f.* sleeve
un **manque** *n.m.* lack
la **marchandise** *n.f.* goods, products
un **marché-cible** *n.m.* target market

marcher *v.* to walk;
marcher *v.* to work, to function
une **marque** *n.f.* brand name
marquer *v.* to score
un(e) **mécanicien(ne)** *n.m.,f.* mechanic
une **médaille** *n.f.* medal
meilleur(e) *adj.* best, better
un **mélange** *n.m.* mix;
mélanger *v.* to mix
le **mérite** *n.m.* merit, value
mettre *v.* to put on
le **Mexique** *n.m.* Mexico
le **midi** *n.m.* noon time
mieux *adv.* better
la **mode** *n.f.* fashion
moins de (… que) *adv.* less (…than)
un **molleton** *n.m.* polar fleece
une **montagne** *n.f.* mountain;
montagneux, montagneuse *adj.* hilly, mountainous
monter *v.* to climb
une **montre** *n.f.* watch
un **morceau** *n.m.* piece
mort(e) *adj.* dead
un **motif** *n.m.* pattern
motivant(e) *adj.* motivating
mourir *v.* to die

N

la **nage** *n.f.* swimming; la **nage synchronisée** *n.f.* synchronized swimming;
nager *v.* to swim
la **naissance** *n.f.* birth;
naître *v.* to be born
la **natation** *n.f.* swimming
une **navette spatiale** *n.f.* space shuttle
négocier *v.* to negotiate
la **neige** *n.f.* snow
nombreux, nombreuse *adj.* numerous
nourrir *v.* to feed; la **nourriture** *n.f.* food
nutritif, nutritive *adj.* nutritious

O

un **objectif financier** *n.m.* financial goal
offrir *v.* to offer
opérant(e) *adj.* effective
l'**or** *n.m.* gold
un **ordinateur** *n.m.* computer
organisé(e) *adj.* organized
un **orphelinat** *n.m.* orphanage
l'**orthographe** *n.f.* spelling
un **ours** *n.m.* bear

P

la **paix** *n.f.* peace
un **palmarès** *n.m.* hit parade (list)
un **panier** *n.m.* basket
un **pantalon** *n.m.* pair of pants
le **papillon** *n.m.* butterfly (swimming stroke)
parfait(e) *adj.* perfect
parfois *adv.* sometimes
les **paroles** *n.f.pl.* words, lyrics
partager *v.* to share
partir *v.* to leave
le **passé** *n.m.* the past
passionné(e) *adj.* passionate
le **patinage** *n.m.* ice skating;
le **patinage artistique** *n.m.* figure skating;
le **patinage par couple** *n.m.* pairs skating; un **patineur**, une **patineuse** *n.m.,f.* skater; des **patins** *n.m.pl.* skates
les **Pays-Bas** *n.m.pl.* Netherlands, Holland
un **pays d'origine** *n.m.* country of origin
penser *v.* to think
perdre *v.* to lose
une **perforatrice** *n.f.* hole punch (for paper)
une **perte** *n.f.* loss
un **pétroglyphe** *n.m.* petroglyph (sculpted image in rock)
un **pic** *n.m.* peak
une **pile** *n.f.* battery
un **pique-nique** *n.m.* picnic
planifié(e) *adj.* planned
plat(e) *adj.* flat
le **plein air** *n.m.* outdoors;
en / de plein air *loc. prép.* outdoors
un **pli** *n.m.* fold
le **plongeon** *n.m.* diving
plus de (… que) *adv.* more (than)
une **poche** *n.f.* pocket
la **poésie** *n.f.* poetry
une **poignée** *n.f.* handle
pointu(e) *adj.* pointed, pointy
à pois *prép.* + *n.m.* polka dot
porter *v.* to wear
poursuivre *v.* to pursue
préférer *v.* to prefer
prélavé(e) *adj.* pre-washed
prendre de l'expansion *loc. v.* to expand, to grow
prendre racine *loc. v.* to take root
prendre une décision *loc. v.* to make a decision
présenter *v.* to present
le **printemps** *n.m.* spring
un **prix** *n.m.* prize; le **prix Nobel** *n.m.* Nobel prize
un **problème humanitaire** *n.m.* humanitarian problem
un **profil** *n.m.* profile
profond(e) *adj.* deep
un **projecteur** *n.m.* projector
une **promenade** *n.f.* walk
promettre *v.* to promise
protéger *v.* to protect
la **publicité** *n.f.* publicity

 Copyright © 2006 Pearson Education Canada Inc.

une **puce électronique** *n.f.* microchip (computer)
puissant(e) *adj.* powerful
un **puits** *n.m.* well
un **pupitre** *n.m.* desk
les **Pyrénées** *n.f.pl.* Pyrenees (mountains between France and Spain)

Q

une **queue de cheval** (cheveux) *exp.* ponytail (hair)
quitter *v.* to leave

R

un **radeau** *n.m.* raft
une **raison** *n.f.* reason; **raisonnable** *adj.* reasonable
un **rallye** *n.m.* (car or motorcycle) rally, race
une **randonnée à cheval** *n.f.* horseback ride
une **randonnée à pied** *n.f.* hike
rang *n.m.* rank
ranger *v.* to put away, to store
des **raquettes** *n.f.pl.* snowshoes
rarement *adv.* rarely
rayé(e) *adj.* striped
rebelle *adj.* rebellious
une **recherche** *n.f.* research, search
un **record** *n.m.* (sports) record
récréatif, récréative *adj.* recreational
un **rédacteur,** une **rédactrice** *n.m.,f.* editor
régional(e) *adj.* regional
un **réglage de volume** *n.m.* volume control
un **relais** *n.m.* relay race
remplir *v.* to fill out
remporter *v.* to take back, to win (a race, a prize)
renommé(e) *adj.* renowned
un **repas** *n.m.* meal
répéter *v.* to rehearse, to practise
un **reportage** *n.m.* report, feature
reposant(e) *adj.* restful
représenter *v.* to represent
un **réseau** *n.m.* network
résoudre *v.* to solve, to resolve
ressembler à *v.* to resemble
rester *v.* to stay
un **résultat** *n.m.* result
un **retour d'information** *n.m.* feedback
retourner *v.* to return
un **rétroprojecteur** *n.m.* overhead projector
réussir *v.* to succeed
revenir *v.* to come back, to return
une **rivière** *n.f.* river
une **robe** *n.f.* dress
un **roman** *n.m.* novel
les **roues** *n.f.pl.* wheels
la **route** *n.f.* road

S

un **sac à dos** *n.m.* backpack
une **saison** *n.f.* season
un(e) **sans-abri** *n.m.,f. inv.* homeless person
la **santé** *n.f.* health
le **saut en hauteur** *n.m.* high jump; **sauter** *v.* to jump
sauvage *adj.* wild
savant(e) *adj.* wise, smart
sec, sèche *adj.* dry
un **sentier** *n.m.* trail
sentir *v.* to feel
la **Série mondiale** *n.f.* World Series (baseball)
sérieux, sérieuse *adj.* serious
serré(e) *adj.* tight
seul(e) *adj.* alone
un **singe** *n.m.* monkey
le **ski acrobatique** (ski acro) *n.m.* freestyle skiing; le **ski alpin** *n.m.* alpine skiing; le **ski de fond** *n.m.* cross-country skiing; le **ski nautique** *n.m.* water skiing; un **skieur**, une **skieuse** *n.m.,f.* skier
le **slalom géant** *n.m.* giant slalom (skiing)
avoir soif *v.* to be thirsty
une **soirée** *n.f.* evening
un **sondage** *n.m.* opinion poll
sortir *v.* to go out
un **souper** *n.m.* supper
le **soutien financier** *n.m.* financial aid
un **souvenir** *n.m.* memory
souvent *adv.* often
un **spectateur,** une **spectatrice** *n.m.,f.* audience
sportif, sportive *adj.* athletic, sports-oriented
un **stylo** *n.m.* pen
suivre *v.* to follow
supplémentaire *adj.* additional
le **surf des neiges** *n.m.* snowboarding
un **synthétiseur** *n.m.* synthesizer

T

une **tâche** *n.f.* task
la **taille** *n.f.* size, height, waist
un **taille-crayon** *n.m.* pencil sharpener
talentueux, talentueuse *adj.* talented
un **talon** *n.m.* heel
taper *v.* to type
un **tatouage** *n.m.* tattoo
télécharger *v.* to download
la **téléportation** *n.f.* the ability (not yet possible) to instantly transport

Copyright © 2006 Pearson Education Canada Inc.

someone/something from place to place
le **temps libre** *n.m.* spare time
une **tendance** *n.f.* tendency
une **tentative** *n.f.* try, attempt
une **tente** *n.f.* tent
terminer *v.* to finish
un **test de marché** *n.m.* market test, survey, study
tirer *v.* to pull
un **tissu** *n.m.* fabric
tomber *v.* to fall
la **tortue des bois** *n.f.* wood turtle
touché(e) par *adj.* affected by
toujours *adv.* always
une **tournée** *n.f.* tour
un **tournoi** *n.m.* tournament; un **tournoi sportif** *n.m.* sports tournament
un **traîneau à chiens** *n.m.* dog sled
traiter *v.* to deal with
tranquille *adj.* calm
traverser *v.* to cross
tressé(e) (cheveux) *adj.* braided
le **tricot** *n.m.* knit
triste *adj.* sad
une **trompette** *n.f.* trumpet
un **trophée** *n.m.* trophy
un **trou** (dans le mécanisme) *n.m.* hole

U

usé(e) *adj.* worn
utiliser *v.* to use

V

les **vacances** *n.f.pl.* holidays
vaincre *v.* to defeat
une **valeur** *n.f.* value
une **vallée** *n.f.* valley
valoir *v.* to be worth
une **vedette** *n.f.* star (celebrity)
un **vélo** *n.m.* bike; le **vélo de montagne** *n.m.* mountain biking
vendre *v.* to sell
venir *v.* to come; **venir de** *v.* to come from
vérifier *v.* to verify, to check
une **veste** *n.f.* jacket (formal or business)
un **veston** *n.m.* jacket (formal or business)
un **vêtement** *n.m.* item of clothing; des **vêtements** *n.m.pl.* clothes
la **vie** *n.f.* life
vif, vive *adj.* bright (colour)
virtuel(le) *adj.* virtual (on a computer)
visionner *v.* to view, to watch
la **vitesse** *n.f.* speed
une **vitrine** *n.f.* window (store)
une **voiture** *n.f.* car
une **voix** *n.f.* voice
voyager *v.* to travel

 Copyright © 2006 Pearson Education Canada Inc.